DZIENNIK

CWANIACZKA

KRÓTKA PIŁKA

Jeff Kinney

Tłumaczenie
Joanna Wajs

Nasza Księgarnia

Autor dziękuje Darylowi Enosowi za portrety warzywnych rockmanów ze str. 50 i za zgodę na opublikowanie ich w książce.

DLA WILLA I GRANTA

WRZESIEŃ

<u>Poniedziałek</u>

Podobno pewni ludzie przychodzą na świat ze specjalnymi genami, dzięki którym wymiatają w sporcie. Nie żebym się znał na biologii czy coś, no ale ja raczej tych genów NIE MAM.

Mama zawsze powtarza, że w zespole każdy jest potrzebny. Cóż, ja najwyraźniej jestem potrzebny do tego, żeby na moim tle POZOSTALI wypadali lepiej.

Dotarłem do takiego punktu w życiu, w którym mogę stwierdzić z pełnym przekonaniem, że nie zostanę zawodowym sportowcem. Dlatego oficjalnie ogłaszam przejście na emeryturę.

Najdziwniejsze jest to, że ja kiedyś naprawdę LUBIŁEM sport. To jednak było w przedszkolu, gdy liczyła się jeszcze DOBRA ZABAWA. Kiedy zacząłem grać w piłkę nożną, nie znałem żadnych zasad, ale inne dzieciaki też nie miały o nich pojęcia. Dlatego przez większość czasu po prostu ROBILIŚMY DYM.

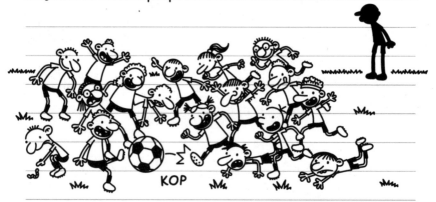

Gdziekolwiek leciała futbolówka, my lecieliśmy za nią. A gdy piłka wyłaniała się na chwilę z kłębowiska ciał i ktoś strzelał gola, WSZYSCY szaleliśmy ze szczęścia.

Nikt nie prowadził punktacji i nigdy nie było wiadomo, która drużyna wygrywa. Rodzice mieli na to wywalone, bo zajmowali się własnymi sprawami.

Sędziowali nam gimnazjaliści, którzy na ogół też nie byli na bieżąco.

Nie odgwizdywali przewinień, kiedy piłka wypadała na aut, dlatego nawet nie wiedzieliśmy, że przez połowę czasu biegamy po NIEWŁAŚCIWYM boisku.

Po meczu zawsze kupowaliśmy sobie śmieciowe żarcie i gazowane napoje. Chociaż nie zawsze czekaliśmy na KONIEC rozgrywki.

Trenerzy nie wrzeszczeli i pilnowali, żeby każdy mógł trafić do bramki. Nic dziwnego, że wszyscy byli zadowoleni.

W tamtych czasach byłem PRZEKONANY, że zostanę piłkarzem. Bardzo dbałem o swoją kartę zawodnika, na wypadek gdyby kiedyś dało się ją spieniężyć.

Ale w zerówce żarty się skończyły. Sędziowie zaczęli używać gwizdka i już nie pozwalali na numery, które przechodziły zaledwie rok wcześniej.

Gwizdali jak szaleni, COKOLWIEK robiłem. No więc podczas meczu stałem sobie w rogu boiska i miałem nadzieję, że piłka nie potoczy się w moją stronę.

Choć w sumie nieczęsto miałem okazję STAĆ. Trener wpuszczał na boisko tylko te dzieciaki, które były DOBRE, a reszta grzała ławę.

Mama powiedziała, że trener nie daje mi grać, bo jestem jego „tajną bronią", której użyje dopiero w DECYDUJĄCYM momencie.

Nie wiedziałem, że ona w ten sposób chce podnieść mnie na duchu. Dlatego gdy wreszcie pozwalano mi zagrać, strasznie gwiazdorzyłem.

W końcu nawet bar szybkiej obsługi podupadł.
Niektórzy rodzice zaczęli się skarżyć na niezdrowe
jedzenie, więc gazowane napoje i słodycze poszły
w odstawkę.

Okazało się jednak, że ze sprzedaży napojów
opłacano ogrodnika, który dbał o utrzymanie boiska.
Od tej pory trawę koszono tylko raz na trzy
tygodnie, a to odbiło się na tempie naszej gry.

Po tym jak kilku zawodników wróciło do domu
z kleszczami, sezon piłkarski zakończono wcześniej.
No cóż, JA nie miałem nic przeciwko.

Trochę żałuję, że nigdy nie byłem dobry w żadnej
dyscyplinie, bo tata marzył, że zrobi ze mnie mistrza.
Ciągle przynosił z biblioteki stosy książek o tematyce
sportowej.

Na pewno niektóre dzieciaki lubią tego typu historyjki, ale to nie jest MOJA BAJKA.

Półki biblioteczne aż się uginają od opowieści o dzieciach, które pokonały wszelkie przeciwności losu i poprowadziły swoją drużynę do zwycięstwa. Ja jednak nigdy nie zrobiłem niczego podobnego i wiecie co? Czuję, że jest nas WIELU.

I dlatego ktoś w końcu powinien napisać książkę dla gości takich jak MY.

To nie tak, że jestem przeciwnikiem sportu. Bardzo go lubię, dopóki nie muszę go UPRAWIAĆ. Tego lata leciały w telewizji igrzyska olimpijskie, a ja oglądałem je właściwie na okrągło.

Mama postanowiła wykorzystać igrzyska do zacieśniania więzi rodzinnych. Stwierdziła, że w dzisiejszych czasach każdy jest samotną wyspą, a sport to jedna z niewielu rzeczy, które zbliżają ludzi. Ale ja sądzę, że do tej bliskości to jeszcze daleka droga.

Według mamy ludzie kochają igrzyska olimpijskie, ponieważ dzięki nim odkrywają, że istota ludzka może wszystko. Ja jednak na imprezach sportowych wolę oglądać PORAŻKI.

Cieszę się wtedy, że to nie ja zrobiłem z siebie idiotę. Nie zniósłbym świadomości, że w takiej chwili patrzą na mnie MILIONY. No a kiedy człowiek zalicza wtopę na igrzyskach, musi przyjąć swoją przegraną Z GODNOŚCIĄ.

Wiecie co? Gdybym przez cztery lata trenował i w decydującej chwili popełnił jakiś głupi błąd, to chybabym nie potrafił uśmiechać się do kamery.

I właśnie dlatego wolę GRY ZESPOŁOWE. Trudniej wtedy powiedzieć, który zawodnik nawalił.

Gdybym już musiał wystąpić na igrzyskach, to wziąłbym udział w zawodach, do których potrzebny jest KOŃ. Bo w razie niepowodzenia można zrzucić odpowiedzialność na niego.

Pewnie dlatego konie czasem nie wytrzymują presji i zaczynają świrować.

Choć obejrzałem większość transmisji z igrzysk, nadal nie całkiem rozumiem zasady.

Nie wiem na przykład, dlaczego medale są wręczane tylko tym sportowcom, którzy zajęli trzy pierwsze miejsca. Moim zdaniem KAŻDY olimpijczyk powinien wrócić do domu z nagrodą.

Teraz przyznają złoty medal za pierwsze miejsce, srebrny za drugie i brązowy za trzecie. Ale dla mnie ten ostatni to jakaś żenada.

No bo srebro i złoto są przynajmniej COŚ warte. A za
brązowy medal dostanie się najwyżej kilka baksów.

Taki medal pewnie ma największą wartość zaraz
po zawodach. Dlatego gdybym się na jakiś załapał,
skorzystałbym ze swoich pięciu minut na wizji
i poszukał nabywcy.

Podczas dekoracji medaliści stają na podium. Puszcza się wtedy hymn kraju, z którego pochodzi zwycięzca, a pozostali muszą go spokojnie wysłuchać. Ale ja, gdybym zgarnął srebro albo brąz, założyłbym po prostu słuchawki i świętował ze swoją własną muzą.

Mama bardzo lubi w relacjach z igrzysk opowieści o życiu sportowców. Niektóre są naprawdę inspirujące, bo zawodnicy pokonują wiele przeszkód, aby osiągnąć sukces.

No cóż, ja swoją historią raczej nie porwałbym narodów.

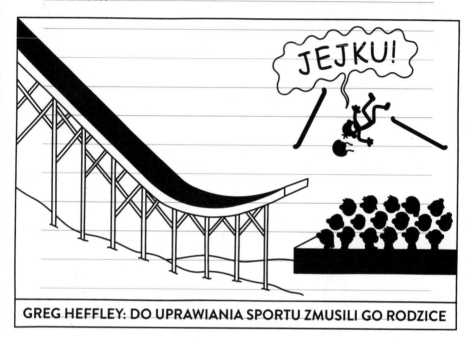

GREG HEFFLEY: DO UPRAWIANIA SPORTU ZMUSILI GO RODZICE

Mama ciągle powtarza, że pewnego dnia i ja mogę zostać olimpijczykiem i że moja „droga do igrzysk" powinna rozpocząć się tu i teraz. Ale ja wiem, że dla mnie jest już ZA PÓŹNO.

W większości dyscyplin sportowych trzeba zacząć wcześnie, jeśli chce się do czegoś dojść. Nawet gdybym wziął się do roboty DZIŚ, musiałbym rywalizować z jakimiś siusiumajtkami.

Słyszałem, że w niektórych krajach odkrywa się talenty u fąfli, które jeszcze latają Z PIELUCHĄ. A potem smarkaczy wysyła się do elitarnych szkół, żeby tam dzień i noc trenowali.

BĘC

Nie sądzę więc, żeby była dla mnie jakakolwiek nadzieja. Za to mój brat Manny chodzi do przedszkola, czyli nie jest bez szans.

Nie żebym był wielkim znawcą tematu, ale moim zdaniem dzieciak ma POTENCJAŁ.

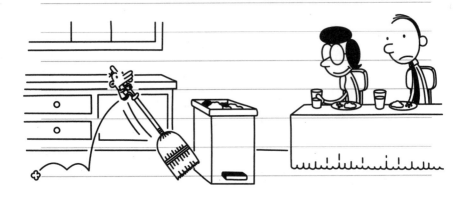

W sumie nie miałbym nic przeciwko temu, żeby rodzice posłali go do tej elitarnej szkoły. Dzieliłbym wtedy łazienkę z jedną osobą MNIEJ.

Ciekawe, czy istnieją dyscypliny, w których można zacząć trochę później i ktoś taki jak ja nie jest skreślony na starcie. Bo byłoby jednak fajowo reprezentować kraj na igrzyskach. NIEWAŻNE w jakiej konkurencji.

No a gdybym zdobył ZŁOTY medal, to możecie być pewni, że bym go nie zdejmował w ŻADNYCH okolicznościach.

Jako złoty medalista człowiek jest ustawiony na CAŁE ŻYCIE. Nawet gdy kariera olimpijska dobiega końca, dalej można zarabiać kupę forsy, podpisując ludziom zdjęcia i bywając na różnych imprezach.

Ale prawdziwe pieniądze są w reklamie. Zgodziłbym się zachwalać w telewizji COKOLWIEK, byleby tylko zgadzał się hajs.

Najlepsze w życiu sportowca jest to, że można przejść na emeryturę W KWIECIE WIEKU. Supersprawa dla kogoś takiego jak ja, bo chciałbym zobaczyć mnóstwo miejsc na świecie i potrzebuję na to dużo czasu.

Dlatego nie wykluczam jeszcze tej ścieżki kariery. Może świat sportu czeka właśnie na mnie?

Wygląda na to, że będę mógł sprawdzić się jako
sportowiec WCZEŚNIEJ, niż przypuszczałem. Kiedy
wróciliśmy po wakacjach do szkoły, w korytarzu już
wisiały ogłoszenia o Święcie Sportu.

W naszym gimnazjum Święto Sportu odbywa się
raz na cztery lata. Czyli ostatnie wypadło wtedy,
kiedy Rodrick był w moim wieku. Pamiętam, jak się
ekscytował tymi zawodami, bo zwycięzcy mogli liczyć
na darmowe lody w stołówce.

Tym razem jednak stawka jest jeszcze wyższa. Klasa,
która wygra zawody, dostanie dzień wolny od szkoły.
No i to ogromnie wszystkich ZMOTYWOWAŁO.

Ale osobą, która NAJGORĘCEJ pragnie tego wolnego
dnia, jest pani Bosh, nasza wychowawczyni. Pani Bosh
jest w ciąży i ciągle nam powtarza, że tyle godzin
na nogach to udręka.

Cóż, ja też bym się o wolny dzień nie pogniewał.
Nie mogę zawieść pani Bosh ani reszty klasy, więc
potraktuję Święto Sportu POWAŻNIE.

Problem polega na tym, że nie jestem ostatnio
w najlepszej kondycji. I jeśli szybko czegoś nie
zrobię, nie będę mocnym punktem drużyny.

Powiedziałem tacie, że muszę zbudować formę, a on
zaproponował, żebym zaczął chodzić razem z nim
na siłownię. Nie chciałbym być niegrzeczny czy coś,
ale tata chodzi od lat na tę siłkę i jakoś nie widać
EFEKTÓW.

Pomyślałem jednak, że lepszy już plan treningowy taty od mojego (który nie istnieje). Dlatego po obiedzie wskoczyłem w sportowy strój i poszliśmy razem poćwiczyć.

W środku zobaczyłem mnóstwo ludzi, jednak nikogo w MOIM wieku. Wtedy tata wytłumaczył mi, że dzieciom tak naprawdę nie wolno tu trenować, i dodał, żebym nie rzucał się w oczy, to wszystko będzie w porządku.

Strasznie chciałem wypróbować każde z tych wypasionych urządzeń. Ale tata oświadczył, że formę buduje się małymi kroczkami, i zabrał mnie do tej części siłowni, którą on lubi NAJBARDZIEJ.

A kiedy zaprezentował mi swój plan treningowy,
zrozumiałem, czemu nie ma żadnych OSIĄGÓW.

Tata zrobił kilka przysiadów i pajacyków, po czym
oznajmił, że idzie zregenerować się w saunie. A to
oznaczało, że mogę ćwiczyć, na czym chcę.

Prawdę mówiąc, nie miałem pojęcia, jak używać tych przyrządów, bo były okropnie skomplikowane.

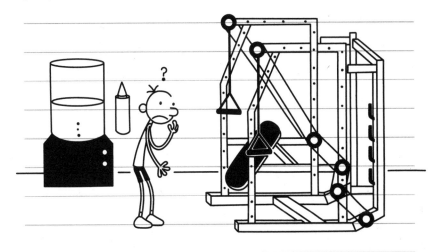

Postanowiłem je rozgryźć bez niczyjej pomocy, ale nadal nie jestem pewny, czy mi się udało.

Najbardziej chciałem poćwiczyć na przyrządach, które miały WYŚWIETLACZE. Czyli na tych różnych bieżniach i rowerkach. Niestety ciągle okupowali je DOROŚLI, bezczelnie przekraczając limit.

Kulturalnie zwróciłem im uwagę, lecz najwyraźniej nikt nie zrozumiał aluzji.

Czekając na swoją kolej, z nudów oglądałem telewizję. Ale na wszystkich ekranach leciał jakiś beznadziejny program o gospodarce.

No więc znalazłem pilota i zmieniłem kanał na nieco
bardziej INTERESUJĄCY.

Chyba nie wszyscy ćwiczący mieli takie samo pojęcie
o dobrej rozrywce, bo jakaś kobieta zeszła z bieżni
i przełączyła kanał. A ja zrozumiałem, że los się
do mnie uśmiechnął.

Na wyświetlaczu zobaczyłem różne słynne miejsca, które można było wirtualnie zwiedzić.

No więc przez dobrych kilka minut zastanawiałem się nad samą LOKALIZACJĄ.

Gdy wreszcie podjąłem decyzję, bieżnia ruszyła, a ja się poczułem, jakbym rzeczywiście szedł po Wielkim Murze Chińskim.

Tyle tylko, że po tym murze trzeba się WDRAPYWAĆ, a ja z trudem utrzymywałem tempo. Dlatego po jakiejś chwili stanąłem okrakiem nad bieżnią i teraz już mogłem bez przeszkód podziwiać WIDOKI.

W końcu zdałem sobie sprawę, że nie wylewam tu siódmych potów, i poczułem wyrzuty sumienia. Nie wiedziałem jednak, co JESZCZE mógłbym porobić, bo wypróbowałem już wszystkie maszyny.

Wtedy usłyszałem dziwne dźwięki dochodzące
z drugiej sali, więc poszedłem je sprawdzić.

No i przypadkiem odkryłem niesamowitą miejscówkę.
Ćwiczący tu ludzie to byli prawdziwi TWARDZIELE.

Zdecydowanie chciałem wyglądać jak oni, nie wiedziałem jednak, od czego zacząć. Próbowałem nawet poradzić się ciężarowców, ale żaden z nich nie był w nastroju do pogawędki.

Kiedy dotarło do mnie, że nikt z tej sali nie pomoże początkującemu, postanowiłem zadziałać metodą prób i błędów. Tylko najpierw musiałem zdecydować, które mięśnie chcę sobie wyrobić.

Pomyślałem, że powinienem się skupić na mięśniach rąk i klatki piersiowej, bo to dzięki nim człowiek wygląda na wysportowanego.

Uznałem, że na początek rozbuduję sobie bicepsy.
Wolałem się jednak nie przetrenować, bo poprzedniego
dnia w stołówce Albert Sandy opowiedział nam
o jednym kulturyście, któremu od ćwiczeń pękł
mięsień dwugłowy.

Wkrótce się okazało, że pęknięty biceps mi nie grozi.
Nie byłem nawet w stanie zdjąć hantli ze stojaka.

Pomyślałem, że może lepiej mi pójdzie na ławeczce do wyciskania ciężarów, ale sztanga TEŻ ani drgnęła. I to już było trochę DENERWUJĄCE.

Ludzie zaczęli się na mnie gapić, a ja nie chciałem wyglądać jak ktoś, kto nie wie, co robi. Dlatego postanowiłem zdjąć talerze ze sztangi, żeby nie była taka ciężka.

No i wtedy odkryłem, że jeśli się zdejmie CAŁE obciążenie z jednej strony sztangi, druga strona łupnie o podłogę. A najwyraźniej pakerzy mają WRAŻLIWY słuch.

Pewnie dlatego na siłkę nie wpuszcza się dzieci. Ale to niesprawiedliwe, że tatę też wykopali, bo on przecież wcale nie narozrabiał.

<u>Czwartek</u>

Mama powiedziała, że w dochodzeniu do formy
ćwiczenia fizyczne to tylko POŁOWA sukcesu i że
zdrowe odżywianie jest równie istotne. No a potem
zaproponowała, że podpowie mi to i owo.

Nie miałem wielkiej ochoty na wykład o jedzeniu,
ale skorzystałem z okazji, żeby zabrać się z nią do
spożywczaka i przypilnować tego, co będzie wrzucała
do wózka.

Bo kiedy Manny jeździ z mamą do sklepu, zawsze
ściąga z półek to, co JEMU się najbardziej podoba.
I właśnie dlatego trzymamy w szafkach w kuchni
te wszystkie przedziwne rzeczy.

Bez urazy, ale mama jest BEZNADZIEJNA w wybieraniu słodkich i słonych przekąsek. Zawsze kupuje jakieś zdrowe produkty, które obrzydliwie smakują, i nie chce pojechać po NOWE, póki nie zjemy poprzednich.

CIASTKA
Z BATATÓW

KABANOSY
Z SUSZONYCH
ŚLIWEK

DIP
Z
BURAKA

CZIPSY
ZE SKÓRY
ŁUPACZA

CHRUPKI
Z GIEGIERZYCY

BATONY
Z WODOROSTÓW

Ostatnio zapraszam mojego najlepszego kumpla Rowleya na „wieczorki degustacyjne", żeby pomógł mi opróżnić szafki.

Kiedy dotarliśmy do sklepu, zostawiłem mamę
z Mannym i załadowałem wózek swoim ulubionym
żarciem. A potem dla świętego spokoju dorzuciłem
tam parę zdrowych rzeczy.

Zaraz jednak wyszło na jaw, że MOJA idea zdrowego
żywienia kłóci się z poglądami mamy. Bo mama
przejrzała wszystko, co zdjąłem z półek, i poddała
SZCZEGÓŁOWEJ analizie.

Sięgnęła po butelkę soku owocowego, który wrzuciłem
do koszyka jako coś zdrowego, i oświadczyła, że to
SAM CUKIER bez żadnych wartości odżywczych.
Zapewniłem ją, że się myli, bo przecież na opakowaniu
jest narysowana cała masa owoców.

A wtedy ona pokazała mi napis na etykiecie i nie mogłem uwierzyć, że takie rzeczy w ogóle są legalne.

Mama powiedziała, że jak chce się wiedzieć, co jest w jedzeniu, trzeba czytać składy. I stwierdziła, że w puszkach z sosem marinara, które wrzuciłem do koszyka, kryje się mnóstwo szkodliwej CHEMII.

Byłem jednak pewny, że mama nie ma racji, bo ten sos reklamuje w telewizji Szef Kuchni Marinara, który sam go robi gdzieś w pięknej Italii.

Mama jednak pokazała mi z tyłu puszki malutką karteczkę, z której wynikało, że te sosy robi się w fabryce w Detroit. I dodała, że Szef Kuchni Marinara pewnie nie jest prawdziwą osobą, tylko wynajętym aktorem.

Czyli chyba zrobiłem z siebie głupka, kiedy na szkolną Wystawę Figur Woskowych przebrałem się za tego typa.

Nagle zacząłem się zastanawiać, czy Zdzisio Zgniłek też aby nie jest nieprawdziwy. Reklamy z tym kolesiem tak mnie przerażały, że za dzieciaka wlewałem w siebie mleko całymi kartonami.

Mama powiedziała, że producenci żywności mają najróżniejsze sposoby, żeby przemycić swoją reklamę tam, gdzie się jej nie spodziewamy. A ja przypomniałem sobie plakaty na szkolnym korytarzu.

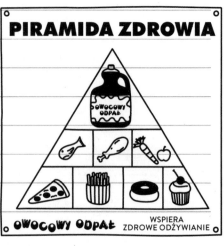

Mama dodała jeszcze, że czasem koncerny wykorzystują postacie z kreskówek, żeby małe dzieci chciały jeść ich produkty. I coś w tym chyba jest, bo przed wyjściem z domu Manny oglądał swój serial o Purchlach i w tym odcinku Gryzelda Purchlanka jadła Śniadaniowe Gruzełki.

Mama wyjaśniła mi, że kiedy kupuje jedzenie dla całej rodziny, czyta etykiety. A jeśli nie potrafi wymówić nazwy jakiegoś składnika, to odkłada towar na półkę.

Podobno najlepsze, co można zrobić, to kupować jedzenie z JEDNYM składnikiem, czyli warzywa i owoce.

Cóż, nie wiem, czy to problem tylko mojego pokolenia, ale nam, dzieciakom, nie smakuje nic, co nie było zapakowane w celofan albo kartonik. Gdyby batony czekoladowe rosły w ziemi, zapewniam was, że nawet bym ich NIE TKNĄŁ.

Jeśli ludzie, którzy sprzedają owoce i warzywa, chcą zachęcić młodzież do jedzenia tych rzeczy, powinni nauczyć się podstaw reklamy.

BARTEK
BURAK

BRUNO
BROKUŁ

SZYMEK
SZPARAG

MANIA
MARCHEWKA

<u>Wtorek</u>

Święto Sportu już jutro i atmosfera w szkole zaczyna robić się nerwowa.

Pani Bosh kazała nam ostatnio przychodzić pół godziny wcześniej, żebyśmy mogli omówić strategię. Tylko że ona zaczyna popadać w paranoję. Mówi tylko o tym, jak przygotowują się nasi RYWALE.

Zmusiła nawet Levadiana Millsa, żeby wlazł na sufit podwieszany i podsłuchał, co planuje drużyna pana Drew w klasie obok. No ale się okazało, że gipsokarton nie utrzymuje ciężaru człowieka.

My, uczniowie pani Bosh, najbardziej obawiamy się uczniów pani Epstein, bo w tej klasie jest paru PRAWDZIWYCH sportowców. Na przykład Jesse Range, który DWA RAZY został na drugi rok, żeby móc ponownie wziąć udział w Święcie Sportu.

JESSE RANGE

Ale ja jeszcze bardziej się martwię podopiecznymi pana Raya, który prowadzi zajęcia dla młodzieży zagrożonej patologią. Coś podejrzewam, że te typki nie będą grały CZYSTO.

A co gorsza, odkryliśmy, że będziemy musieli rywalizować także z DOROSŁYMI. Woźni poszli do wicedyrektora i powiedzieli, że oni TEŻ chcą wystawić drużynę, bo zasługują na dzień wolny tak samo jak dzieciaki.

To chyba sprawiedliwe rozwiązanie, chociaż łazienki wyglądają dość OBLEŚNIE, odkąd woźni całe dnie spędzają na TRENINGU.

53

No a teraz w ich ślady poszły bufetowe i zrobiły ze stołówki salę gimnastyczną.

Nauczyciele wpadli w panikę i żeby zwiększyć swoje szanse, posuwają się do TRANSFERÓW. Pan Esper przeniósł najszybszą biegaczkę w całej szkole, Avę Hollis, do klasy pani Joy, a sam dostał w zamian Thomasa Scheffa, niekwestionowanego mistrza w rzucie mokrą gąbką.

Pani Bosh bardzo się przejęła tymi przetasowaniami.

Dlatego powierzyła mi ważną misję. Miałem sprawdzić,
kogo warto ściągnąć do NASZEGO teamu.

Rozumiecie więc, jak się poczułem, gdy pani Bosh
bez mrugnięcia okiem wymieniła mnie i dwóch innych
łepków na Jessego Range'a. A żeby dobić interesu,
dorzuciła w rozliczeniu paczkę suchościeralnych
markerów.

<u>Czwartek</u>

Wczoraj mieliśmy Święto Sportu i nie obyło się bez kontrowersji. Jeszcze przed pierwszym dzwonkiem pan Ray wlepił Jessemu Range'owi karę, żeby włączyć go do programu dla zagrożonych patologią i w ten sposób pozyskać dla swojej drużyny.

A to była bardzo NIEUCZCIWA zagrywka.

Zanim wszystko się zaczęło, pani Epstein zebrała naszą drużynę na dziedzińcu, żeby omówić plan działania i dokonać ostatnich zmian. Ale ja nadal nie potrafiłem zrozumieć, dlaczego zgodziła się wymienić Jessego Range'a na mnie i te dwie inne ciamajdy.

W dodatku miałem wystartować tylko w jednej konkurencji, a mianowicie w biegu na trzy nogi. Moją partnerką okazała się Madison Burke, dziewczyna wyższa o jakieś trzydzieści centymetrów, co nieco komplikowało sprawę.

Gdy jednak bieg się rozpoczął, zrozumiałem strategię pani Epstein. Ona nie wybrała mnie dlatego, że SZYBKO BIEGAM. Wybrała mnie, bo MAŁO WAŻĘ.

Ja i Madison zajęliśmy pierwsze miejsce, a więc nasza drużyna miała niezły start. Jednak już kilka minut później szczęście się od nas odwróciło, bo Marcello Romera skręcił kostkę podczas wyścigu w workach. Podobno bufetowe zapomniały wyjąć z kilku worków ZIEMNIAKI. Ale ja nie wierzę w takie przypadki.

Marcello miał zaraz potem biec na pięćdziesiąt metrów, a że wszyscy pozostali startowali w innych konkurencjach, pani Epstein kazała mi go zastąpić.

Zająłem przedostatnie miejsce, bo nadal byłem poobijany po biegu na trzy nogi. Zresztą ja nie potrafię szybko biegać bez odpowiedniej MOTYWACJI.

Najlepszy wynik miałem jak dotąd w dniu, w którym
Rodrick wdepnął w psią kupę, a ja na swoje
nieszczęście parsknąłem śmiechem. Słowo daję, gdyby
ktoś mierzył mi wtedy czas, odkryłby, że osiągnąłem
prędkość GEPARDA.

Tylko dlatego nie zająłem ostatniego miejsca w biegu
na pięćdziesiąt metrów, że zaraz po rozpoczęciu
wyścigu Jesse Range zaliczył glebę. Pomyślałem
wtedy, że pewnie nadepnął sobie na rozwiązane
sznurowadło czy coś.

Ale szybko wyszło na jaw, że za ten upadek mu

ZAPŁACONO. Wicedyrektor Roy nakrył go na

finalizowaniu transakcji za budynkiem szkoły.

Jesse nie chciał zostać zawieszony, więc wydał swoich

mocodawców, to znaczy ziomków, którzy nielegalnie

przyjmowali zakłady. Rozkręcili ten biznes na drugim

piętrze w kanciapie komputerowej.

Reszta drużyny pana Raya też oszukiwała, ale to akurat nikogo nie zdziwiło.

Te typy przed zawodami w rzucie bombą wodną wsadziły swoje balony do ZAMRAŻARKI w stołówce. I nikt nie zauważyłby PRZEKRĘTU, gdyby George Ralton nie znokautował niechcący Mikeya Ardalli.

Potem team pani Bosh wygrał w fasolowym bingo i na chwilę wysunął się na prowadzenie. Wtedy jednak drużyna pana Chowa zwyciężyła dwa razy z rzędu – w wyścigu z wiadrami i w rzucie mokrą gąbką.

Woźni też pięli się coraz wyżej w klasyfikacji i chyba już by prowadzili, gdyby nie to, że podczas wyścigu taczek panu Washingtonowi zdrętwiały ręce.

Ostatnią konkurencją było przeciąganie liny i wszystko rozstrzygnęło się między bufetowymi a drużyną pani Bosh. Moim zdaniem ludzie pani Bosh wygraliby bez najmniejszego trudu, gdyby nie znakomita postawa bufetowej Frolley, zawodniczki kotwiczącej.

Wróciliśmy do klas zdołowani na maksa tym, że przepadł nam dzień wolny. No i mieliśmy stracha, bo po szkole zaczęła krążyć plotka, że tego dnia WOŹNI zastąpią panie ze stołówki.

DANIE DNIA: MIĘSNA NIESPODZIANKA

Szkoła chyba jednak obawiała się rozruchów, gdyż na moment przed ostatnim dzwonkiem wicedyrektor Roy ogłosił, że WSZYSCY dostajemy wolny piątek.

<u>Piątek</u>

Byłem podjarany całym dniem NICNIEROBIENIA

i cieszyłem się, że pośpię do późna.

Lecz gdy tylko mama odkryła, że mam wolny piątek,

zapełniła mi go masą zajęć niecierpiących zwłoki.

Do samego wieczora chodziłem z fochem,

w przeciwieństwie do mamy, która chciała usłyszeć,

jak mi poszło na Święcie Sportu i czy dobrze się

bawiłem. Powiedziałem jej prawdę, to znaczy, że było

DO BANI.

Na co mama odparła, że nie mam najlepszych

doświadczeń ze sportem, bo tak naprawdę nigdy nie

byłem częścią zespołu.

Na co ja odparłem, że przecież w przeszłości należałem do wielu różnych drużyn. Najwyraźniej mama wyparła te wspomnienia. Cóż, chciałbym móc powiedzieć o sobie to samo.

Ona jednak wyjaśniła, że miała na myśli coś innego: POCZUCIE PRZYNALEŻNOŚCI do zespołu, w którym każdy może liczyć na każdego. I dodała, że do swoich najszczęśliwszych chwil zalicza grę w koszykówkę w gimnazjum.

Mama stwierdziła, że w byciu częścią zespołu wspaniała jest zwłaszcza nauka WSPÓŁDZIAŁANIA. A ono przydaje się później w życiu. Szczególnie w PRACY.

Jakoś mnie to nie przekonało. No ale z drugiej strony nie wiem dokładnie, czym dorośli zajmują się w pracy.

Wtedy mama zaproponowała, żebym dał grom zespołowym jeszcze jedną szansę. I obiecała, że jeśli nic z tego nie wyjdzie, uznamy temat za zamknięty. Odpowiedziałem, że przemyślę jej słowa, ale mam cichą nadzieję, że za dzień albo dwa zapomnimy o sprawie.

W sumie nie wiem, czemu ludzie tak się ekscytują sportem, skoro w życiu jest tyle WAŻNIEJSZYCH rzeczy.

Jeśli jesteś miotaczem w baseballu i ciskasz piłkę z prędkością stu pięćdziesięciu kilometrów na godzinę, zarabiasz miliony dolców, a dzieciaki wieszają nad łóżkiem plakaty z twoim zdjęciem.

Ale jeśli jesteś osobą, która wynalazła lekarstwo na raka, to najwyżej poklepią cię po plecach.

Od zawsze mnie zastanawia, DLACZEGO sport
stał się taki ważny. W starożytności ludzie ciągle
prowadzili jakieś wojny, więc pewnie w końcu doszli do
wniosku, że muszą pokonywać dzielące ich różnice bez
ZABIJANIA SIĘ nawzajem. No i wpadli na pomysł,
że sport będzie mniej krwawym rozwiązaniem.

Z biegiem lat sport EWOLUOWAŁ, dlatego teraz
mamy czirliderki, maskotki drużyn i przechodzenie
na zawodowstwo.

Tylko raz byłem na dużym wydarzeniu sportowym.
Tata zabrał mnie wtedy na mecz futbolu
amerykańskiego. Prawdę mówiąc, niewiele pamiętam
z samej gry, za to świetnie pamiętam całą RESZTĘ.

Tacie żal było kasy na parking przy stadionie, więc
wylądowaliśmy w jakimś błocie półtora kilometra
dalej. Wytachaliśmy z auta grilla turystycznego
i usmażyliśmy sobie hamburgery, co było strasznie
fajne.

Tylko że wypiłem DUŻO za dużo napoju gazowanego
i w drodze na stadion poczułem, że muszę do toalety,
bo inaczej się zsikam.

Tata z początku nie chciał o tym słyszeć, ponieważ kolejka do toi toiów ciągnęła się w nieskończoność. Postraszyłem go jednak, że na pewno popuszczę, zanim dotrzemy do łazienki na stadionie.

Po dwudziestu minutach przestępowania z nogi na nogę w końcu wbiegłem do środka. Szkoda jednak, że tata mnie nie uprzedził, czego mogę się spodziewać, bo wtedy mimo wszystko WZIĄŁBYM NA WSTRZYMANIE.

W sumie nie żałowałem, że skorzystałem z wychodka, ponieważ chwilę później trafiliśmy na megadługą kontrolę bezpieczeństwa. Przepadło nam przez nią pierwszych piętnaście minut stadionowych emocji.

Gdy wreszcie znaleźliśmy nasze miejsca, okazało się, że zajęli je jacyś kolesie. A kłótnia o to, kto gdzie siedzi, trwała całą WIECZNOŚĆ.

Nie wiem zresztą, czemu dorośli podniecali się jakimiś krzesełkami, skoro i tak ich NIE UŻYWALI. Co stanowiło pewien problem, bo zza pleców ludzi stojących przed nami nic nie mogłem wypatrzyć.

Nie widziałem boiska, więc nie miałem pojęcia, co się dzieje. Tata natomiast był zbyt zaaferowany, żeby zdawać mi relację na żywo.

Aż w końcu zrozumiałem, że mogę śledzić grę na telebimie, tym wielkim ekranie nad boiskiem.

Szybko odkryłem, że podczas przerw w meczu kamery rejestrują różne zachowania publiczności.

Dowiedziałem się też o konkursie na Króla Kibiców. Widzowie mogli dostać tę nagrodę za wygłupianie się do kamery. No i niektórzy nie mieli ŻADNYCH zahamowań.

Wiedziałem, że nie zdobędę tytułu Króla Kibiców,
jeśli będą mnie zasłaniać ci wszyscy ludzie. Dlatego
podczas przerwy wygramoliłem się na schody
i DAŁEM CZADU z nadzieją, że zauważy to operator.

Tata chyba był lekko zażenowany moim popisem,
bo odpalił mi trochę kaski i powiedział, żeby sobie
kupił coś do jedzenia i jakąś pamiątkę.

Wydałem całą kasę na popcorn i na wielgachny palec z pianki. Ale gdy tylko odszedłem od stoiska, usłyszałem huk, od którego zatrząsł się stadion.

Teraz już wiem, że kiedy gospodarze zdobywają punkt, na ich cześć strzela się z ARMATY. Żałuję tylko, że tata mnie nie ostrzegł ani nic, bo w tamtym momencie naprawdę myślałem, że jesteśmy w NIEBEZPIECZEŃSTWIE.

Kiedy się upewniłem, że teren jest czysty, chciałem wrócić do taty. Nie pamiętałem jednak, w którym sektorze siedzimy, a to tata miał nasze bilety.

Zacząłem świrować ze strachu, bo na stadionie było osiemdziesiąt tysięcy ludzi, którzy od strony pleców niczym się od siebie nie różnili. A poza tym właśnie ogłoszono remis i kibice byli zbyt zaabsorbowani sytuacją, żeby pomóc zagubionemu dziecku.

SEKTOR 303

Na szczęście przyuważyła mnie bileterka i odprowadziła do Punktu Dzieci Znalezionych.

Tam zadano mi kilka pytań. Jak się nazywam i gdzie ostatnio widziałem tatę. Ale ja byłem w takim stanie, że z trudem przypomniałem sobie własne imię.

PUNKT DZIECI
ZNALEZIONYCH

Zanim zdołałem zebrać myśli, już byłem w oku kamery, która pokazała mnie na telebimie.

ZGUBIŁO SIĘ DZIECKO

Frank Heffley proszony jest do Punktu Dzieci Znalezionych w hali 2.

W tym samym momencie zrozumiałem, że to moja wielka szansa na tytuł Króla Kibiców.

ZGUBIŁO SIĘ DZIECKO

Frank Heffley proszony jest do Punktu Dzieci Znalezionych w hali 2.

Dobra wiadomość jest taka, że nasza drużyna wygrała dosłownie w ostatnim momencie. A zła jest taka, że tata tego NIE ZOBACZYŁ, bo musiał po mnie przyjść. Wierzcie lub nie, ale zdobyłem wtedy tytuł Króla Kibiców i wygrałem dwa darmowe bilety na NASTĘPNY mecz.

Tylko że jakoś w ogóle go nie pamiętam, więc przypuszczam, że tata zabrał na ten mecz RODRICKA.

Zauważyliście, jak bardzo organizatorzy wydarzeń sportowych starają się rozruszać na różne sposoby publiczność? Cóż, myślę, że w kościele, do którego chodzę, mogliby wziąć to sobie do serca.

Na wejście duchownego i ministrantów należałoby przygasić nieco światła i zagrać jakiś mocny i głośny kawałek. To na pewno wywołałoby ENTUZJAZM wiernych.

A TERAZ... POWITAJMY NASZEGO GOŚCIA Z SEMINARIUM NAJŚWIĘTSZEJ MARYI PANNY W BALTIMORE!

Można by też wymyślić jakąś kościelną maskotkę, żeby podczas mszy zabawić trochę maluchy.

Dla rozerwania parafian przydałoby się też jakieś widowisko po pierwszej połowie mszy. Coś, wiecie, naprawdę ZWARIOWANEGO.

Ale kościół najwięcej by zyskał, gdyby zainwestował w TELEBIM. Ludzie w ostatnich ławkach wreszcie znaleźliby się w centrum wydarzeń.

Na telebimie można by też pokazywać losowo wybranych SPÓŹNIALSKICH i zachęcać ich, żeby zajęli miejsce Z PRZODU.

MASZ SZCZĘŚCIE! WYGRAŁEŚ MIEJSCE PRZED OŁTARZEM!

Dzięki telebimowi wierni okazywaliby też nieco większą szczodrość podczas ZBIERANIA NA TACĘ.

Miałem jeszcze WIELE innych sugestii i nawet zadałem sobie trud, żeby je spisać. Ale ci, którzy zarządzają naszym kościołem, muszą być strasznie zajęci, bo jeszcze nikt się do mnie nie odezwał.

<u>Wtorek</u>

Naprawdę miałem nadzieję, że mama zapomni o tym pomyśle z grą zespołową, ale nie. Dzień w dzień wywiera na mnie presję.

Próbowałem jej wytłumaczyć, że za dwadzieścia lat e-sport zastąpi sport tradycyjny, a zawodnicy nie będą musieli nawet schodzić z kanapy, żeby rozegrać mecz. Ona jednak jest już chyba za stara, żeby ekscytować się zmianami, które przyniesie przyszłość.

Nie zdecydowałem się dotąd na żadną dyscyplinę z bardzo prostego powodu. W każdej idzie mi ŚREDNIO.

Żeby wreszcie coś postanowić, próbowałem sobie przypomnieć jakiś swój sukces sportowy z przeszłości.

Ale nie przyszło mi do głowy absolutnie nic. Poza tą sytuacją ze stołówki, gdy trafiłem zwiniętą w kulkę serwetką do szklanki po mleku Justina White'a.

Cała stołówka nosiła mnie wtedy NA RĘKACH. I to było moje największe osiągnięcie sportowe.

Niektóre chłopaki twierdziły nawet, że należałoby umieścić w tym miejscu tabliczkę. Po to, by przyszłe pokolenia PAMIĘTAŁY.

MIEJSCE PAMIĘCI
TU SIEDZIAŁ
Greg Heffley,
GDY Z **8 METRÓW**
TRAFIŁ PAPIEROWĄ KULKĄ
DO PUSTEJ SZKLANKI IDĄCEGO
PRZEZ STOŁÓWKĘ KOLEGI.

Przez całą resztę roku szkolnego inne dzieciaki próbowały powtórzyć mój wyczyn. No i przerwy śniadaniowe zmieniły się w KOSZMAR NA JAWIE.

W sumie to tamten rzut mógł świadczyć o pewnych PREDYSPOZYCJACH. Dlatego powiedziałem mamie, że spróbuję swoich sił w KOSZYKÓWCE.

Mama strasznie się ucieszyła, bo sama grała w kosza, kiedy chodziła do gimnazjum, no i ona i jej kumpele WYMIATAŁY. Doszła też do wniosku, że mogłem odziedziczyć po niej talent koszykarski.

Pochwaliła się, że jej drużyna doszła aż do finału w mistrzostwach stanowych. Ale kiedy zapytałem, co nastąpiło w meczu finałowym, odparła, że to bez znaczenia.

Po czym dodała, że ważne jest tylko jedno. To, że zostanę częścią ZESPOŁU. No a potem poszła do komputera, żeby zapisać mnie na koszykówkę.

Byłem zadowolony z tego, że jest taka podekscytowana. Ale powiem wam w zaufaniu, że wybrałem koszykówkę z CAŁKIEM innego powodu.

Ludzie w szkole gadali dziś o jakimś naborze. I o tym, że dla naszego rocznika mają powstać dwie drużyny, każda złożona z dziesięciu zawodników.

Na pewno mnóstwo dzieciaków będzie próbowało przejść kwalifikacje. No więc NIE MA OPCJI, żebym się dostał. A jak NAWALĘ, mama wreszcie się ode mnie odczepi.

<u>Niedziela</u>

Kiedy dziś wieczorem zaszedłem na salę gimnastyczną, gdzie prowadzono nabór, naliczyłem dwudziestu ośmiu chłopaków. Trenerzy mieli wybrać z nich tylko dwudziestu. A to nastrajało mnie OPTYMISTYCZNIE.

Większość tych gości miała DUŻO bardziej sportowy wygląd niż ja. Wielu grało w kosza już w zerówce, dlatego teraz potrafili dryblować między nogami i robić inne pokręcone rzeczy z piłką.

Ja zetknąłem się z koszykówką tylko raz, na zeszłorocznym wuefie. No i te zajęcia trwały całe dwa dni.

Zresztą piłka do kosza była sflaczała, a pan od wuefu nie mógł znaleźć igły do pompki. Dlatego w końcu użyliśmy balonów.

Na dzisiejsze kwalifikacje przylazło też paru łepków o wyglądzie mięczaków. I to mnie zaniepokoiło.

Bałem się, że niechcący dostanę się jednak do drużyny i będę musiał przez cały sezon zasuwać po boisku. No więc postanowiłem SPECJALNIE grać jak łamaga. Tak na wszelki wypadek.

Ale moje plany kompletnie się posypały, kiedy na salę wkroczyła mama. Okazało się, że chce obejrzeć eliminacje, a ja już wiedziałem, że mi NIE ODPUŚCI.

Nabór zaczął się o siódmej wieczorem. Najpierw każdy dzieciak dostał koszulkę treningową z wielkim numerem z przodu i z tyłu. Sądząc po zapachu, te ciuchy NIGDY nie były prane.

Podzielono nas na cztery zespoły i kazano dryblować w różnych częściach sali. Ja jednak miałem problem z koordynacją ręka–oko, więc cały czas trafiałem piłką we własną stopę.

Zauważyłem, że zawsze gdy robię błąd, jakiś facet zapisuje na kartce mój numer.

Dlatego postanowiłem zejść z oczu tym notującym facetom. A reszta słabeuszy poszła w moje ślady.

Raz na jakiś czas udawało mi się odbić piłkę pięć czy sześć razy z rzędu i oczywiście WTEDY nikt nie patrzył. Ale mama pilnowała, żeby goście od notatek nie przeoczyli moich małych zwycięstw.

Przez kilka minut dryblowaliśmy prawą ręką, po czym koleś, który mówił, co mamy robić, kazał wszystkim zmienić rękę na LEWĄ. Pomyślałem, że to jakiś żart, i nawet się ROZEŚMIAŁEM.

I chyba znów popełniłem błąd, bo i tym razem mój numer został zapisany na kartce.

Wiem, że niektórzy ludzie są oburęczni, ale na pewno nie ja. Moja lewa ręka jest kompletnie BEZUŻYTECZNA.

Jakiś czas temu zwichnąłem sobie nadgarstek i musiałem napisać sprawdzian lewą ręką. I wiecie co? Lepiej bym sobie poradził, trzymając długopis w USTACH.

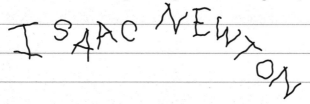

7. Kto sformułował prawo powszechnego ciążenia?

ISAAC NEWTON

Gdy już skończyliśmy z dryblingiem, przeszliśmy do rzutów wolnych. Fatalnie się złożyło, że umiałem wrzucać do kosza tylko BALON, ponieważ piłka robiła DUŻĄ różnicę.

Mama chyba zdała sobie sprawę, że nie idzie mi najlepiej, bo zawsze gdy przechodził obok niej gość z kartką, donosiła mu na inne OFERMY.

Zresztą nie tylko ONA próbowała pomóc swojemu dziecku. Odkryłem, że na sali są SYNOWIE notujących facetów, więc sami rozumiecie, jak niesprawiedliwe były te kwalifikacje.

Nim trening dobiegł końca, było już raczej jasne,
kto się dostanie, a kto odpadnie. Chociaż trenerzy
mieli chyba wątpliwości co do ostatniego zawodnika,
bo wpuścili na boisko tylko najsłabszą dziewiątkę.
I powiem wam, że to nie był ŁADNY widok.

Kiedy skończyliśmy, zabrali nam koszulki. Gość, który
był tu szefem, powiedział, że rodzice przyjętych
zawodników do jutra wieczorem otrzymają maila.
No ale po tym, co zaprezentowałem, raczej nie będę
czekał W NAPIĘCIU.

<u>Wtorek</u>

Gdy wczoraj wróciłem ze szkoły, chciałem się
zrelaksować i może nawet uciąć sobie drzemkę. Więc
opadła mi szczęka, kiedy wszedłem do kuchni.

Nie wiedziałem, o co biega, bo byłem ABSOLUTNIE
pewny, że oblałem kwalifikacje. Ale mama powiedziała,
że DOSTAŁEM SIĘ do drużyny. I na dowód pokazała
mi maila.

Wiadomość napisał pan Patel, ojciec Preeta Patela.
Widzicie, Preet to jeden z najlepszych sportowców
na moim roku, a podczas ostatniego meczu Uczniowie
przeciwko Nauczycielom totalnie DOMINOWAŁ
na boisku.

Nie mogłem pojąć, w jaki sposób wylądowałem
w jednej drużynie z Preetem. A wtedy mama
stwierdziła, że widocznie dostrzeżono we mnie
TO COŚ.

Ja jednak przypomniałem sobie szczegóły poprzedniego
wieczoru i wiedziałem, że Preeta nie było na treningu.
A to jeszcze BARDZIEJ zbiło mnie z tropu.

Dopiero dziś w szkole Jabari Bruce powiedział mi,
co się stało. Preet nie był na treningu, bo miał pogrzeb
wujka, a jeśli ktoś nie przychodzi na eliminacje, to nie
ma zmiłuj. Nie dostaje się do drużyny.

Dlatego pan Patel stworzył WŁASNĄ drużynę z Preeta ORAZ niedorajd, które nie przeszły kwalifikacji. Zrobił to tylko po to, żeby jego syn mógł grać w tym sezonie.

Cóż, nie byłem specjalnie ZADOWOLONY. Myślałem, że koszykówka nieodwołalnie zniknęła z mojego życia, a teraz ni stąd, ni zowąd miałem zostać ZAWODNI-KIEM. W dodatku wiedziałem, że mama nie pozwoli mi się z tego wyplątać.

Pierwszy trening mieliśmy już dziś na terenie szkoły podstawowej. Ale kiedy pan Patel zobaczył nas na żywo, chyba pomyślał, że trochę się zagalopował.

Do drużyny załapali się wszyscy ci, którym poszło najgorzej w eliminacjach. Większość zresztą znałem już ze szkoły. Na przykład Jabari Bruce i Tommy Chu zostali razem ze mną sprzedani podczas Święta Sportu za Jessego Range'a i suchościeralne markery.

JABARI BRUCE   TOMMY CHU

Z kolei Darren i Marcus Woodleyowie może i mieliby zadatki na sportowców, gdyby nie to, że ciągle próbują się POZABIJAĆ.

DARREN WOODLEY   MARCUS WOODLEY

Był z nami jeszcze Edward Mealy, który od drugiej klasy ani razu się nie odezwał. No i Kevin Pomodoro, który ma aparat na zębach, więc nikt nie rozumie jego seplenienia.

ŚCIAPFL?

EDWARD MEALY   KEVIN POMODORO

W każdej drużynie koszykarskiej potrzebny jest jakiś DRĄGAL, a naszym okazał się Yusef Meskin. Tylko że Yusef ma zwyczaj łapać knypki mojego wzrostu i wpychać je do „jaskini".

W każdym zespole przydaje się też prawdziwy TWARDZIEL, no a naszym jest Ruby Bird. Trafiła do chłopackiej drużyny, bo podczas kwalifikacji DZIEWCZYN ugryzła kobietę z kartką. Zrobiła to, gdy tamta zapisała jej numer.

W sumie nie miałbym pretensji do Preeta i jego ojca, gdyby na nasz widok uciekli z krzykiem. Ale nic z tych rzeczy. Zamiast uciec, pan Pratel kazał nam podejść bliżej, bo zamierzał wygłosić PRZEMÓWIENIE.

Powiedział, że może nie jesteśmy szczególnie utalentowani, ale będziemy pracować ciężej niż ktokolwiek inny w lidze. Po czym dodał, że pokaże nam PRAWDZIWĄ koszykówkę. I że zacznie już zaraz.

Pomyślałem, że skoro ten koleś wychował taką gwiazdę jak Preet, to i z nas może coś wycisnąć.

Wtedy Tommy Chu podniósł rękę i zapytał, dlaczego właściwie spotykamy się w szkolnej kawiarence, a nie na sali gimnastycznej.

Pan Patel wyjaśnił mu, że dwie pozostałe drużyny zajęły salę na cały SEZON, a my musimy zadowolić się tym, co mamy.

Nie bardzo rozumiałem, jak będziemy grać w koszykówkę bez KOSZA, ale pan Patel oświadczył, że zaczniemy od podstaw, a rzutami zajmiemy się później.

No więc trochę podryblowaliśmy, a potem ćwiczyliśmy podania. Między stolikami trudno nam było biegać, dlatego część drużyny przeniosła się na scenę. Tam jednak stały już dekoracje ze sztuki wystawianej przez dzieci z zerówki.

Chociaż dawaliśmy z siebie wszystko, pan Patel ciągle się złościł, bo nie dość szybko ogarnialiśmy temat. Za każdym razem gdy któryś zawodnik popełniał błąd, zmuszał go do SPRINTU.

Te sprinty totalnie nas wykańczały, więc robiliśmy coraz WIĘCEJ błędów. Jedynym, któremu trener nie wlepiał kar, był oczywiście Preet.

Osobiście uważam, że trenerzy nie powinni karać dzieciaków w ten sposób, bo osiągają tylko to, że NIENAWIDZIMY biegania.

No i wątpię, czy trener biegaczy każe swoim zawodnikom GRAĆ W KOSZYKÓWKĘ, gdy tylko nawalą na bieżni.

W bieganiu najgorsze jest SPŁYWANIE POTEM. Moim zdaniem pocąc się, ciało mówi człowiekowi, że przegina i żeby przestał się wygłupiać. Ale kiedy podzieliłem się swoją teorią z panem Patelem, on kazał mi zrobić jeszcze jedną PRZEBIEŻKĘ.

Mama, która czekała na mnie w samochodzie, chciała się dowiedzieć, jak wyglądał nasz pierwszy trening. Powiedziałem jej, że ta drużyna to Preet, a potem długo, długo nic, więc nie robiłbym sobie co do nas wielkich nadziei.

Wtedy mama stwierdziła, że będę miał mnóstwo okazji, aby pokazać się na boisku z jak najlepszej strony. A to trochę mnie ZMARTWIŁO. Bo choć każdy dzieciak marzy o atomowym zagraniu, które da zwycięstwo jego drużynie, każdy boi się też panicznie, że SPAPRZE.

Widzicie, w moim miasteczku jest taki jeden Anthony Grow, który dwadzieścia lat temu spudłował, strzelając do pustej bramki. To właśnie przez Anthony'ego przegraliśmy ze Slacksville, naszym odwiecznym rywalem.

No i do dziś ludzie nie dają mu o tym zapomnieć.

Na jego miejscu przeprowadziłbym się do Slacksville, ponieważ tam Anthony Grow jest BOHATEREM.

Nasz Zbawca

Popełniłem duży błąd, mówiąc mamie, że nie chcę skończyć jak Anthony. Bo ona opowiedziała mi historię, która tylko POGORSZYŁA sprawę.

Otóż mama w swojej drużynie była rezerwową rozgrywającą. A w meczu finałowym główna rozgrywająca DOZNAŁA KONTUZJI. No więc przy wyrównanym wyniku w czwartej kwarcie mama musiała ją zastąpić.

Radziła sobie znakomicie, ale w ostatnim momencie przyblokowały ją dwie zawodniczki z drużyny przeciwnej i jej piłka nie doleciała do kosza.

Mama powiedziała, że dziś jest ZADOWOLONA z tego, co nastąpiło, ponieważ nauczyła się akceptować niepowodzenia, a to uczyniło ją lepszym człowiekiem. Ja jednak mogę się założyć, że jej koleżanki z drużyny miałyby na ten temat INNE zdanie.

Czwartek

Chyba powinienem był lepiej wybadać temat, zanim zdecydowałem się na koszykówkę, bo pan Patel daje nam POPALIĆ.

Trenujemy trzy razy w tygodniu i gramy jeden mecz w sobotę, a drugi w niedzielę. Na dodatek nie ma żadnej taryfy ulgowej z pracą domową i chociaż nie dosypiamy, nauczyciele nadal nie tolerują spóźnień.

A ja na domiar złego mam PROBLEMY ze snem, bo za moim oknem każdej nocy rozlega się straszliwy łomot.

Kiedy zacząłem grać w drużynie, mama zamontowała KOSZ nad garażem. Chyba miała nadzieję, że w wieczory wolne od treningu będę ćwiczyć rzuty wolne.

Ale ja nie zaliczyłem ani jednej wrzutki, bo gdy tylko kosz został zawieszony, wyrostki z sąsiedztwa po prostu go przejęły.

Niedawno dyrekcja zdjęła wszystkie kosze na dziedzińcu szkolnym, więc nie ma zbyt wielu miejsc, w których dzieciaki mogłyby grać. Dlatego teraz złażą się do nas i tata musi parkować auto na ulicy.

Tata powiedział mamie, że trzeba się tego kosza pozbyć, ona jednak odparła, że lubi, jak dzieci spędzają czas na dworze zamiast przed telewizorem.

Ja chyba też nie byłbym całkiem na nie, gdyby tylko ci goście wiedzieli, kiedy PRZESTAĆ. My kładziemy się spać i próbujemy zasnąć, a oni dalej walą, jakby od tego zależało ich życie.

Ostatnio mama chciała delikatnie dać im do zrozumienia, że pora iść do domu, więc zamrugała światłami nad garażem. Ale nastolatki chyba nie najlepiej odczytują aluzje, bo grały dalej jak gdyby nigdy nic.

Dlatego parę dni temu mama po prostu wyłączyła światła, kiedy na dworze zapadł zmrok. I wiecie co? Ci goście byli na to PRZYGOTOWANI. Mieli ze sobą agregat prądotwórczy.

Wczoraj w nocy tata w końcu nie wytrzymał i wezwał POLICJĘ. Radiowóz podjechał do nas dziesięć minut później.

Myślałem, że jest po sprawie, ale szybko się okazało, że gliniarze też lubią koszykówkę.

Musieliśmy się poddać. Już nie reagujemy, kiedy obcy ludzie korzystają z naszego kosza. Wierzcie mi jednak, że gdy tylko nasz podjazd NA MOMENT opustoszeje, ściągniemy to ustrojstwo.

Nic dziwnego, że jestem kompletnie skonany, skoro nasze treningi zaczynają się o dziewiątej trzydzieści wieczorem. W końcu pozwolono nam ćwiczyć na sali gimnastycznej, ale musimy czekać, aż skończą POZOSTAŁE drużyny.

Jednego z pierwszych wieczorów pan Patel zapomniał z domu swojej siatki z piłkami i musiał się po nią wrócić. Kiedy sobie poszedł, Darren Woodley zauważył, że magazynek wuefisty jest otwarty, no więc zajrzeliśmy do środka. A tam zobaczyliśmy NAJPRZERÓŻNIEJSZE cuda. Hula-hoopy, sprężyny pogo, a nawet zabawkowy spadochron.

Od wieków nie widzieliśmy takich rzeczy, więc
w jednej chwili znów staliśmy się małymi brzdącami.

Wymyśliliśmy nawet nową grę, w której jeździliśmy na tych kwadratowych deskorolkach do integracji sensorycznej i zbijaliśmy wielgachne plastikowe kręgle. No i to było TYSIĄC razy fajniejsze od koszykówki.

A wtedy pan Patel wrócił z siatką pełną piłek i zepsuł całą zabawę.

Pouczył nas, że jesteśmy tu po to, aby grać
w koszykówkę, a nie pajacować. No i kazał nam
odłożyć wszystko na miejsce.

Czytałem gdzieś, że grę w kosza wynaleźli kolesie,
którzy chcieli się trochę powygłupiać, więc zaczęli
walić futbolówką do koszyka po brzoskwiniach.
No i patrzcie, jaka popularna jest dziś koszykówka.
Cóż, gdyby trenerem tamtych gości był pan Patel,
to by się raczej nie wydarzyło.

BACH

Na pewno będzie mu głupio, jeśli gra, którą wymyśliliśmy, zostanie uznana przez międzynarodowe organizacje.

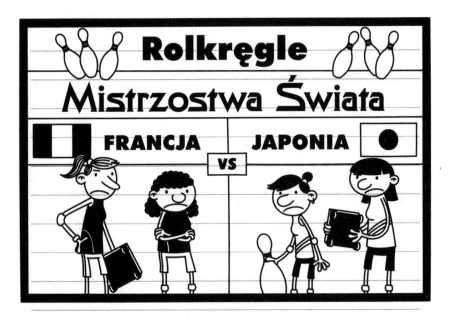

Upchnęliśmy przyrządy z powrotem w kanciapie i pan Patel ustawił wszystkich przed linią rzutów wolnych. Ale chociaż pokazał nam, jak powinniśmy rzucać, większość nie potrafiła tego załapać.

Tyle razy spudłowałem, że byłem już na maksa zdenerwowany. No więc dla hecy rzuciłem piłkę TYŁEM. I wyobraźcie sobie, że TRAFIŁEM.

Moi kumple byli pod takim wrażeniem, że teraz
KAŻDY chciał rzucać tyłem.

Ale pan Patel tę zabawę TEŻ nam musiał popsuć.

Powiedział, że nigdy nie zrobimy postępów, jeśli nie zaczniemy traktować sportu POWAŻNIE. Próbowałem mu wytłumaczyć, że ja po prostu jestem lepszy w rzucaniu tyłem niż przodem, i zasugerowałem, że może to on źle nas uczy.

Pan Patel chyba uznał, że się wymądrzam, bo za karę kazał mi biegać aż do końca treningu.

W pierwszych dniach ćwiczyliśmy różne umiejętności, takie jak podawanie, kozłowanie i rzucanie. No a wczoraj wieczorem pan Patel powiedział, że pora na PRAWDZIWĄ grę.

Wszyscy byliśmy podekscytowani tym, że wreszcie przechodzimy do KONKRETÓW. I już mieliśmy zacząć, gdy nagle na salę wtargnęła grupka facetów w wieku mojego taty.

Jeden z nich podszedł do pana Patela i powiedział, że mamy się stąd zabierać, bo jest wpół do dziesiątej, a Męska Liga wynajęła tę salę na swoje środowe treningi.

Pan Patel odrzekł na to, że nasz trening trwa do wpół
do jedenastej, a my na pewno mamy rezerwację,
bo on dziś po południu jeszcze raz to sprawdził.

Atmosfera stała się nieco NERWOWA, ale wtedy
nasz trener wpadł na ROZWIĄZANIE. Zaproponował,
żebyśmy rozegrali mecz, a ten, kto zwycięży, będzie
miał salę dla siebie.

Zrobiło mi się słabo na myśl o grze przeciwko bandzie
dorosłych facetów. Ale ci goście wyglądali, jakby
lata świetności mieli już za sobą, więc pomyślałem,
że może uda nam się ich załatwić.

Męska Liga rozgrzewała się przez całą nieskończoność.
Wyglądało na to, że przeciwnik ma stracha i GRA
NA ZWŁOKĘ.

W końcu jednak nasi rywale przestali się rozciągać
i mogliśmy zaczynać. Najpierw wygraliśmy rzut
sędziowski i już sądziłem, że złoimy im skórę. Ale
byłem w błędzie, bo zaraz zaczęła się równia pochyła.

Może i Męska Liga nie była w superkondycji, ale ci kolesie przynajmniej wiedzieli, jak się GRA W KOSZA. No i robili z nami, co chcieli.

A w dodatku przez cały czas coś GADALI. No i muszę przyznać, że skutecznie grali nam tym na NERWACH.

To były jakieś żenujące gadki typowe dla dorosłych, ale i tak działały. A im bardziej ci faceci nam dogadywali, tym gorzej nam szło.

127

Najbardziej sfrustrowany rozwojem sytuacji był
PREET. Nie ulegało wątpliwości, że chce dać nauczkę
Męskiej Lidze.

Ale tamci już się zorientowali, że to jedyny mocny
punkt naszej drużyny, więc kiedy tylko był przy piłce,
nie dawali mu żyć.

W pewnym momencie Preet przebiegł przez całe
boisko, żeby wykonać rzut spod kosza. Myślałem,
że to będzie KRÓTKA PIŁKA, ale on najwyraźniej
chciał coś udowodnić, bo zdecydował się na WSAD.

Podekscytowani, śledziliśmy z podziwem każdy
jego ruch. No ale Preet chyba jeszcze musi trochę
urosnąć, zanim będzie mógł odstawiać takie numery.

BRZDĘK

Co gorsza, lądując, pechowo skręcił kostkę. I choć to nie był jeszcze koniec gry, goście z Męskiej Ligi samozwańczo uznali się za ZWYCIĘZCÓW.

Myślałem, że Preet tylko coś sobie nadwyrężył i zaraz wróci do formy. Ale kiedy dziś wieczorem pokazał się na sali gimnastycznej, CHODZIŁ O KULACH.

Okazało się, że ZŁAMAŁ kostkę i w ten sposób załatwił się na cały sezon. A to była dla nas naprawdę zła wiadomość, bo bez Preeta nie mieliśmy żadnych szans.

Dla pana Patela to była JESZCZE gorsza wiadomość, bo biedak musi się z nami męczyć do końca sezonu, podczas gdy na pewno wolałby przeznaczyć ten czas na oglądanie telewizji albo naukę żonglerki.

On jednak, zamiast wpaść w rozpacz, wygłosił przemówienie. Oświadczył, że kontuzje są częścią gry i że reszta drużyny po prostu będzie ciężej pracować, aby szybciej robić postępy.

Po czym pokazał nam zagrywki ułatwiające zdobywanie punktów. Najpierw zagraliśmy pięciu na trzech, potem pięciu na dwóch, a wreszcie pięciu na jednego, ale NIKT nie wbił piłki do kosza.

Daliśmy radę dopiero przy układzie pięciu na ZERO, chociaż zagrywka chyba nie wyglądała tak, jak by sobie tego życzył pan Patel. No więc jeśli w pierwszym meczu zdobędziemy cudem jakiś punkt, to będzie jak ŚLEPEJ KURZE ZIARNO.

Po skończonym treningu pan Patel oznajmił, że ma dla nas niespodziankę, i otworzył duże kartonowe pudło. Po czym zaczął rozdawać KOSZULKI.

Zauważyłem, że te ciuchy wyglądają znajomo. Znajomo też ŚMIERDZIAŁY. Na co pan Patel powiedział, że nie było dość czasu, aby zamówić nowe, dlatego wystąpimy w koszulkach z kwalifikacji.

Coś się jednak w tych koszulkach zmieniło, bo teraz było na nich LOGO.

Pan Patel wyjaśnił nam, że każda drużyna ma swojego sponsora, który płaci za wynajem sali i tak dalej. No i naszym dobroczyńcą zgodził się zostać w tym sezonie Bar Kanapkowy Marconiego. Mam wrażenie, że lokal Marconiego nadal jest zamknięty ze względu na problemy z sanepidem, ale pewnie trudno było znaleźć jakiegoś przyzwoitego sponsora.

Sobota

Dziś rozegraliśmy pierwszy mecz w sezonie. Trener kazał nam przyjść na salę pół godziny wcześniej, żebyśmy zrobili rozgrzewkę i omówili założenia taktyczne.

Najpierw przedstawił nam nowy system zagrywek, który chyba rozrysowywał przez całą noc. Miałem nadzieję, że pozostali jakoś rozgryźli te dziwne znaczki, bo dla mnie to była CZARNA MAGIA.

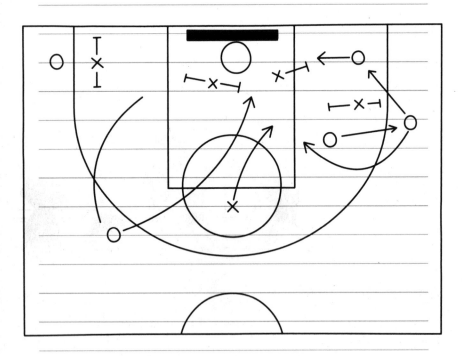

Tymczasem miejsca na widowni powoli zaczęły się zapełniać. Umierałem ze strachu na myśl, że zaraz znajdę się na oczach WSZYSTKICH, ale niepotrzebnie, bo pan Patel posłał mnie na ławkę rezerwowych.

Graliśmy przeciwko reprezentacji miasteczka Franklin, które znajduje się o jakieś dwadzieścia minut drogi od naszego. No i goście z Franklin najpierw wygrali rzut sędziowski, a potem zaliczyli pierwszą wrzutkę. I tak też w sumie wyglądała cała reszta spotkania.

Kevin Pomodoro był naszym rozgrywającym, bo to jedyny zawodnik w drużynie, który potrafi dryblować bez patrzenia pod nogi. Problem polegał jednak na tym, że Kevin grał jedną ręką, ponieważ kiedy wykrzykiwał kody zagrywek, w drugiej musiał trzymać zdjęty z zębów aparat. Mógłby też krzyczeć w aparacie, ale wtedy NIC byśmy nie zrozumieli.

Ludzie z Franklin w końcu rozpracowali nasz system. Gdy tylko Kevin otwierał usta, po prostu zabierali mu piłkę.

Nasi robili, co mogli, żeby realizować strategię pana Patela, ale chyba nie bardzo wiedzieli, kto jest X, a kto O, więc zapanował niemożliwy chaos.

Wtedy trener zaczął wydzierać się na rezerwowych, jakby to była NASZA wina. Przybrałem odpowiednio smutny i zawstydzony wyraz twarzy, gdyż najwyraźniej tego oczekiwał.

Próbując ratować sytuację, pan Patel zaczął zmieniać zawodników, dlatego przezornie przesunąłem się na sam koniec ławki. Miałem nadzieję, że zapomni o moim istnieniu.

Niestety na trybunach była MAMA. No i powiem wam jedno. NIE POMAGAŁA.

GREG NA BOISKO!

Chociaż graliśmy u siebie, nie czuliśmy, że daje nam to jakąkolwiek PRZEWAGĘ. Po pierwsze, ta sala gimnastyczna ma jakieś siedemdziesiąt lat i na posadzce jest mnóstwo martwych punktów, od których piłka gorzej się odbija. Więc jeśli nawet ruszaliśmy do ataku, nasz drybling kończył się, zanim się zaczynał.

Po drugie, pełno tam było poprzyklejanej gumy do żucia i innych obrzydlistw. W pewnym momencie Jabari Bruce spróbował szybkiej kontry, ale zgubił but.

Ktokolwiek projektował tę salę, nie przyłożył się do swojej roboty, bo między liniami bocznymi a ścianami nie ma ŻADNEJ przestrzeni. Gdy zawodnik rzuca się za piłką wypadającą na aut, ryzykuje UTRATĘ ŻYCIA.

Co gorsza, tuż za linią końcową znajdują się ŁAZIENKI, więc przez całą pierwszą kwartę stała tam kolejka do damskiej toalety.

A to jeszcze nie wszystko. Goście, którzy chodzili do męskiego WC, ciągle nie domykali drzwi. No i po czyimś złym podaniu piłka wylądowała w PISUARZE.

Jeden z sędziów opłukał ją w umywalce i wytarł ręcznikami papierowymi. Nie wiem, ile płacą tym ludziom, ale na pewno ZA MAŁO.

Choć trudno w to uwierzyć, moja drużyna zaliczyła kilka trafień. Gdy jednak rozległ się dźwięk syreny, i tak było trzydzieści osiem do sześciu. Cieszyłem się w duchu, że trener nie wstawił mnie do pierwszego składu, bo wtedy nasza porażka z pewnością byłaby DOTKLIWSZA.

Wystarczająco dużo miałem do czynienia ze sportem, aby wiedzieć, że kiedy mecz dobiega końca, należy uścisnąć dłoń rywalowi i podziękować mu, mówiąc: „Dobra gra". No więc to właśnie ZROBIŁEM.

Cóż, gdyby ktoś zechciał mi wtedy uświadomić, że jesteśmy dopiero W POŁOWIE meczu, nie zrobiłbym z siebie kompletnego kretyna.

Pan Patel kazał nam iść do szatni, gdzie mieliśmy zebrać siły przed drugą połową. Tylko że tu NIE BYŁO szatni i musieliśmy się zadowolić męską toaletą. A w łazience naprawdę trudno o trochę prywatności.

Nic jednak nie powstrzymało pana Patela przed wygłoszeniem przemówienia. Miałem mu to nawet za złe, bo MOIM ZDANIEM przerwa po pierwszej połowie powinna być czymś w rodzaju WAKACJI od koszykówki.

Pan Patel najpierw wyliczył nasze błędy. I wytłumaczył, co musimy poprawić, jeśli chcemy wygrać.

A potem opowiedział nam historię o jakichś szkockich wojownikach, którzy, otoczeni przez wroga o znacznej przewadze liczebnej, wygrali bitwę, ponieważ trzymali się razem i walczyli wszystkim, co mieli pod ręką.

Dodał, że jeśli będziemy trzymać się jego strategii, my TEŻ możemy odnieść zwycięstwo. No i trzeba przyznać, że zagrzał nas do boju, bo gdy wypadliśmy z łazienki na boisko, byliśmy gotowi walczyć NA ŚMIERĆ I ŻYCIE.

Mieliśmy jeszcze parę minut przed rozpoczęciem drugiej połowy, więc postanowiliśmy uzupełnić płyny.

Bracia Woodleyowie byli odpowiedzialni za dostarczenie wody na mecz, dlatego wzięliśmy sobie po butelce z ich lodówki turystycznej.

Tylko że Woodleyowie chyba nie umyli tej lodówki po powrocie z wakacji, bo znaleźliśmy w środku różne RESZTKI.

Walały się tam nawet niedojedzony keczup i musztarda. Ale Yusef i Ruby okazali się niezbyt wybredni.

Pewnie uznali, że przyda im się KAŻDY rodzaj paliwa.

Yusef grał aż do końca pierwszej połowy i tak się spocił, że musiał wyżąć koszulkę. Wolałbym jednak, żeby nie robił tego nad LODÓWKĄ, bo nadal była tam nasza woda.

Tak jak powiedziałem, wszystkich nas zagrzała do boju mowa trenerska pana Patela. Ale ci wojownicy ze Szkocji mieli chyba coś, czego my nie mamy, ponieważ druga połowa zaczęła się dziwnie podobnie do PIERWSZEJ.

W czwartej kwarcie sytuacja wymknęła się spod kontroli, więc trener wpuścił mnie i resztę rezerwowych na boisko. Jeśli jednak sądził, że będziemy tą maleńką iskrą, która roznieci płomień, raczej się rozczarował.

Szczerze mówiąc, nie pamiętam nawet wyniku końcowego. Pamiętam za to, jak mama w drodze do domu narzekała, że trener miał słabą strategię i za późno wpuścił mnie na boisko.

Tata natomiast powiedział, że gdyby to był GOLF, tobyśmy wygrali, bo tam trzeba mieć jak najmniej punktów. Chyba oboje próbowali mnie pocieszyć, chociaż nieszczególnie im wyszło.

<u>Niedziela</u>

Mama ciągle powtarza, że sport zbliża ludzi, ale ja sądzę, że tu akurat może być w błędzie. Z mojego doświadczenia wynika, że sport dzieli ludzi jak MAŁO CO.

Na przykład ludzie z naszego miasteczka nie cierpią ludzi z sąsiednich miasteczek, bo zawsze z nimi przegrywają. No a najbardziej nienawidzimy Slacksville, ponieważ ci goście ROZJEŻDŻAJĄ NAS WALCEM na każdym boisku.

Tak było jeszcze przed moim urodzeniem. I do dziś, gdy tylko jakiś dziadek z naszego miasta wspomina o Slacksville, wszyscy inni dziadkowie spluwają z niesmakiem.

Zresztą odwieczny spór mojego miasteczka
i Slacksville nie ogranicza się bynajmniej do SPORTU.
Jakieś sto lat temu pewna firma jubilerska miała
otworzyć u nas fabrykę. A to oznaczałoby nowe
miejsca pracy. No ale ważniaki ze Slacksville w ostatniej
chwili sprzątnęły nam nadzianych jubilerów sprzed
nosa.

Dlatego dzisiaj to właśnie Slacksville ma WSZYSTKIE
fajne rzeczy, na przykład galerię handlową i dwa pola
golfowe. A my możemy się poszczycić nieczynnym
kinem dla zmotoryzowanych i barem kanapkowym
zamkniętym przez sanepid.

Tak czy inaczej zawsze próbujemy się na naszych
wrogach odegrać. A ponieważ nie mamy z nimi szans
na boisku, musimy być SPRYTNI.

W zeszłym roku władze stanowe chciały nam wcisnąć wielkie wysypisko śmieci. Ale zrobiliśmy parę cwanych ruchów w planie zagospodarowania przestrzennego, no i wysypisko powstało w Slacksville. Jego mieszkańcy, jak słyszałem, nie są tym ZACHWYCENI.

Coś drgnęło we wzajemnych stosunkach kilka miesięcy temu, kiedy burmistrz Slacksville zadzwonił do naszej burmistrzyni i zaproponował zawieszenie broni. Widzicie, co roku w Dzień Niepodległości urządzamy w parku ogromne ognisko, no i tym razem Slacksville postanowiło podarować nam drewno.

Super się złożyło, bo nasze miasto akurat było spłukane i urzędnicy mieli odwołać imprezę.

Burmistrzyni przyjęła więc tę propozycję i parę dni później ludzie ze Slacksville zaczęli zwozić drewno ciężarówkami do parku. A potem poukładali je nam ZA DARMOSZKĘ.

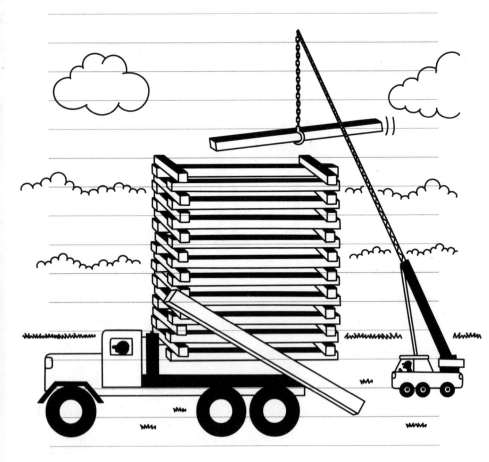

Ale tuż przed rozpaleniem ognia w parku pojawił się inspektor sanitarny, który powiedział, że drewno ze Slacksville jest skażone chemikaliami i nie można go podpalić, ponieważ nad miastem zawiśnie toksyczna chmura.

Na drugi dzień nasza burmistrzyni zadzwoniła do burmistrza Slacksville i powiedziała, żeby zabrał swoje drewno z powrotem. Tylko że on chyba od początku o wszystkim wiedział, bo tylko zaśmiał jej się w nos.

No więc zostaliśmy ze stertą gnijącego drewna w samym środku parku i tej jesieni przedszkolna liga futbolowa musiała rozgrywać swoje mecze DOOKOŁA STERTY.

KOP

Tylko że sezon futbolowy skończył się WYJĄTKOWO wcześnie. Jakaś zgraja zwierzaków zamieszkała w STERCIE i wszyscy uznaliśmy, że dzieci powinny trzymać się od nich z daleka.

154

Czyli wygląda na to, że Slacksville znowu nas wyrolowało.

Czemu o tym piszę? Bo dzisiaj był nasz pierwszy mecz wyjazdowy. A gdy mijaliśmy tablicę z napisem SLACKSVILLE, poczułem się trochę nieswojo, ponieważ nie byłem tu już CAŁE WIEKI.

Mecz zorganizowano w tutejszym liceum, no i powiem wam, że w Slacksville mają DUŻO lepszą salę gimnastyczną. Nawierzchnia wyglądała na nowiusieńką i nie przyuważyłem ani kawałka rozdeptanej gumy.

Gdy przyjechaliśmy, trybuny były wypełnione po brzegi. A publiczność już w trakcie rozgrzewki zaczęła na nas BUCZEĆ.

Tylko kilkoro rodziców postanowiło nam kibicować.
Ja sam zabrałem się na mecz z Edwardem Mealym,
bo mama powiedziała, że musi pójść razem z tatą
na przedstawienie w przedszkolu Manny'ego.

Ciekaw jestem, czy mnie WYSTAWIŁA, ponieważ
wiedziała, że to będzie JATKA.

Bardzo chciałem, żeby już się zaczęło i żebym mógł
w spokoju usiąść na końcu ławki rezerwowych. Ale
wtedy odkryłem, że moją miejscówkę zajęły kibicki
PRZECIWNIKA.

W końcu wypatrzyłem sobie jakieś wolne miejsce kilka rzędów wyżej i poszedłem tam zaraz po rozpoczęciu gry. Bałem się jednak, że ludzie mnie ZDEMASKUJĄ i dostanę niezłego łupnia. Dlatego gdy tłum buczał na moją drużynę, ja buczałem razem z nim.

Co zresztą nie bardzo obciążało moje sumienie, bo zaliczyliśmy następne beznadziejne otwarcie. Slacksville zaczęło od zdobycia trzech punktów, a potem poprawiło swój wynik, odbierając nam piłkę i dokładając kolejny punkt. Nim się obejrzeliśmy, gospodarze mieli nad nami przewagę dwudziestu punktów.

Myślałem, że teraz, kiedy umocnili się na prowadzeniu, wreszcie trochę odpuszczą. Ale oni chyba wciąż są wściekli o to wysypisko śmieci.

Postawili na pełne krycie, więc nawet nie mogliśmy się przedrzeć na drugą połowę boiska. Zresztą w ogóle nie utrzymywaliśmy się przy piłce, bo przeciwnik był WSZĘDZIE.

Pan Patel krzyczał coś zza linii bocznej, jednak kibice zagłuszali każde jego słowo.

Gdy tylko ktoś z naszych wprowadzał piłkę z autu, od razu rzucało się na niego trzech albo czterech graczy Slacksville.

Ani razu nie przejęliśmy też piłki po niecelnym rzucie rywali, bo ich środkowy był takim wielkoludem, że nawet Yusef wydawał się przy nim MALUTKI.

BACH

Po pierwszej połowie przegrywaliśmy pięćdziesiąt dwa do zera. Miałem nadzieję, że sędziowie zastosują tak zwaną ZASADĘ LITOŚCI i zakończą mecz. Chociaż w koszykówce chyba się tego nie praktykuje.

Najwyraźniej ludzie ze Slacksville ZŁOŚLIWIE podkręcili nam ogrzewanie, bo w szatni było gorąco jak w SAUNIE.

Trener wygłosił kolejne przemówienie, ale tym razem nie opowiadał nam o szkockich wojownikach. Skupił się na HONORZE.

Oznajmił, że w chwili, w której wyszliśmy na boisko, staliśmy się reprezentantami naszego MIASTA.
I dodał, żebyśmy nie patrzyli na punktację, bo teraz liczy się tylko to, jak zaciekle będziemy walczyć.
I jak zostaniemy ZAPAMIĘTANI.

A my poczuliśmy, że możemy wszystko. Tak samo jak poprzednim razem.

Niektórzy gracze chyba potraktowali słowa trenera
DOSŁOWNIE, bo postanowili PÓJŚĆ NA CAŁOŚĆ.
Najpierw Yusef przyładował jednemu łepkowi z łokcia,
a potem Ruby Bird przewróciła środkowego.

No a wtedy bracia Woodleyowie z jakiegoś
tajemniczego powodu rzucili się jeden na drugiego.

Sędziowie mieli jednak WIĘKSZY problem niż burda na boisku. Matka Kevina Pomodoro i jedna z mam ze Slacksville zaczęły się kłócić na widowni, no i chwilę później w ruch poszły pięści.

GRZMOT

Sędziowie pobiegli je rozdzielić, a ja, korzystając z zamieszania, wróciłem na ławkę rezerwowych, gdyż tam było BEZPIECZNIEJ.

Od razu jednak pożałowałem tej decyzji, bo gdy Ruby i Yusef wylecieli z boiska za wszczynanie awantur, trener zastąpił ich Tommym Chu i MNĄ.

Trener Slacksville też zdjął zawodników z pierwszego składu, żeby trochę odpoczęli, i wprowadził na ich miejsce rezerwowych.

Pan Patel kazał nam zastosować zagrywkę, którą ćwiczyliśmy na treningach, no i wyobraźcie sobie, że ZADZIAŁAŁA.

Wynik zmienił się na pięćdziesiąt dwa do dwóch i tłum wydał jęk zawodu, bo liczył na to, że Slacksville nas ROZDEPCZE.

A wtedy ich trener przywrócił pierwszy skład do gry. Przeciwnik powiększył przewagę o następne dwadzieścia trzy punkty i już NIKT nie mógłby go zatrzymać.

Nic nie rozumiałem z zagrywek pana Patela, więc po prostu latałem po boisku tam i z powrotem, starając się sprawiać wrażenie, jakbym wiedział, co robię. Aż nagle Kevin Pomodoro został przyblokowany przez dwóch zawodników i posłał piłkę W MOJĄ STRONĘ.

Nie miałem pojęcia, czego się ode mnie oczekuje, dlatego za wszelką cenę próbowałem POZBYĆ SIĘ piłki. Ale w tym samym momencie gracz Slacksville walnął mnie w rękę i sędzia odgwizdał faul.

Sędzia podał mi piłkę i kazał stanąć za linią rzutów wolnych. Szkoda, że nie słuchałem uważniej, kiedy pan Patel mówił o technice rzucania, bo w tamtej chwili wszyscy patrzyli tylko na mnie.

Próbowałem się skupić, ale tłum mieszkańców Slacksville naprawdę mi tego NIE UŁATWIAŁ.

Uważam, że kibice powinni MILCZEĆ, kiedy gracz stara się wykonać rzut wolny. Nawet usiłowałem wymóc na nich odrobinę szacunku, jednak bezskutecznie.

Po czym totalnie zawaliłem sprawę, a tłum oczywiście musiał to skomentować. Ale przynajmniej było już PO WSZYSTKIM.

Wtedy jednak sędzia kazał mi spróbować JESZCZE
RAZ. Pomyślałem, że proponuje to ze zwykłego
ludzkiego współczucia, bo nie wiedziałem, że zawodnik
sfaulowany podczas rzutu ma DWA PODEJŚCIA.

Nie chciałem PONOWNIE spudłować i przez chwilę
walczyłem z pokusą rzucenia piłki tyłem, ponieważ
wtedy miałbym JAKIEŚ szanse. Ale pan Patel urwałby
mi chyba głowę, więc w końcu zdecydowałem się na
rzut babci, czyli taki spomiędzy ugiętych nóg.

A gdy piłka znów nie doleciała do obręczy, wyśmiały
mnie nawet BABCIE.

Po tym incydencie miałem szczerze dość koszykówki, więc wróciłem na ławkę rezerwowych. Dopiero potem się dowiedziałem, że o takich rzeczach decyduje TRENER.

Dzieciaki ze Slacksville dalej kosiły punkty i wkrótce było już dziewięćdziesiąt osiem do dwóch. Wtedy któryś z graczy zaliczył rzut za trzy i teraz przeciwnik miał sto jeden punktów. A że w okienkach wyświetlacza z punktacją mieściły się tylko dwie cyfry, wyglądało to tak, jakbyśmy PROWADZILI.

Ławka rezerwowych zaczęła wygłupiać się i wiwatować, co okropnie zirytowało kibiców Slacksville.

Mecz dobiegał końca. Rywale próbowali przenieść grę pod nasz kosz. Ale my walczyliśmy teraz o HONOR i blokowaliśmy piłkę w polu obrony.

Przeciwnicy jednak w końcu nas przechytrzyli i zaliczyli ostatnią wrzutkę. A wtedy zabrzęczała syrena i wyświetlacz pokazał, że wygrali LEDWO, LEDWO.

Powiedzieć wam coś? Jedna rzecz poprawiła mi humor. W drodze powrotnej pan Mealy zatrzymał się przy wysypisku śmieci, żeby wyrzucić stary materac. Może i nigdy nie pokonamy Slacksville na boisku, ale przynajmniej to nie nasze miasto CUCHNIE.

Wtorek

Naprawdę chciałbym tu napisać, że po porażce ze
Slacksville było już tylko lepiej i że nawet wygraliśmy
jeden czy dwa mecze. No ale musiałbym wtedy
skłamać. Bo potem było już tylko gorzej.

Po meczu ze Slacksville pan Marconi z Baru
Kanapkowego Marconiego zadzwonił do trenera Patela
i powiedział, że wycofuje się ze sponsorowania
drużyny. Było już jednak za późno, żeby kupować
nowe koszulki, dlatego zakleiliśmy logo taśmą
izolacyjną.

I to wpakowało nas na niezłą minę, bo w kolejnym meczu dzieciakowi z drużyny przeciwnej taśma z koszulki Yusefa przywarła do twarzy. No a kiedy matka zawodnika próbowała ją ściągnąć, WYDEPILOWAŁA mu brew.

Podczas następnych spotkań, gdy tylko stawało się jasne, że znów zbierzemy bęcki, moja mama mówiła trenerowi, co robi nie tak. Nie jestem pewien, czy pan Patel doceniał jej życzliwe rady.

Wreszcie trenerom innych drużyn zrobiło się nas żal. Zaczęto wystawiać przeciwko nam zawodników, którzy dotąd grzali ławę. Ale to NIESPECJALNIE zmieniało sytuację.

Zdenerwowani rodzice w końcu poskarżyli się władzom ligi, że przegrywamy ogromną różnicą punktów i że to fatalnie wpływa na naszą samoocenę. Dlatego arbitrzy zmienili zasady gry.

Odtąd drużyna, która wygrywała przewagą dwudziestu lub więcej punktów, musiała wykonać pięć podań przed rzutem do kosza.

No i to rzeczywiście zmniejszyło trochę różnice punktowe, ale wiecie co? Słuchanie, jak przeciwnik ODLICZA przed skopaniem nam tyłków, było bardzo upokarzające.

Potem inne drużyny starały się SAME zmniejszyć swoją przewagę. Próbowały różnych rzeczy, na przykład dryblowania tylko lewą ręką czy wykonywania rzutu z zamkniętymi oczami.

A że nasze statystyki DALEJ dołowały, w połowie sezonu liga zdecydowała się na drastyczne posunięcie. Przeniosła nas do niższej kategorii wiekowej, a tydzień później do JESZCZE niższej.

No i nie ma to jak w ramach poprawy samooceny dostać manto od smarkaczy z podstawówki.

Przez całą jesień udało mi się tylko raz trafić do kosza, ale to nie był ten kosz, co trzeba. Trener Patel chyba nie chciał mnie dobijać, bo pozwolił mi cieszyć się chwilą.

Pod koniec sezonu tylko kilkoro rodziców o mocnych nerwach przychodziło na nasze mecze. Wtedy już nawet SĘDZIOWIE nie zwracali uwagi na to, co dzieje się na boisku.

Kiedy sezon wreszcie się skończył, z radości oblaliśmy trenera wodą, zupełnie jakbyśmy wygrali mistrzostwa. Mam jednak nadzieję, że pan Patel wziął PRAWDZIWY prysznic po powrocie do domu, bo nasza lodówka była pełna POTU.

Po ostatnim meczu poszliśmy świętować do Baru Kanapkowego Marconiego. Pan Marconi zgodził się na to tylko dlatego, że nadal miał problemy z sanepidem i potrzebował kasy. Ja natomiast unikałem podczas tej imprezy wszystkiego, co było z MAJONEZEM.

Trener wręczył nam dyplomy. Musiał się wznieść na wyżyny kreatywności, ponieważ nikt z nas nie miał na koncie ŻADNYCH zauważalnych osiągnięć.

Dyplom uznania dla
Grega Heffleya

za próbę opanowania nowej dyscypliny.

Dhruv Patel

Gdy zjedliśmy deser, pan Patel znów wygłosił przemówienie. Powiedział, że może i nie wygraliśmy ani jednego meczu, ale jest z nas dumny, bo dawaliśmy z siebie wszystko i nigdy nie odpuszczaliśmy.

Dodał, że zapewne nikt z nas nie będzie kontynuował kariery sportowej, lecz przecież są RÓŻNE ekscytujące ścieżki zawodowe. Na przykład księgowość, projektowanie stron internetowych czy lalkarstwo.

Ta mowa była mniej inspirująca niż wcześniejsze, no ale każdy ma gorsze momenty.

Teraz, gdy sezon NARESZCIE dobiegł końca, cieszyłem się, że mogę wrócić do normalnego życia. I jestem pewien, że moi koledzy z drużyny myśleli tak samo. Jedyną osobą, która zapatrywała się na tę kwestię inaczej, była MAMA.

Zanim pan Patel poszedł do samochodu, powiedziała
mu o turnieju stanowym dla drużyn, które nie wygrały
ani jednego meczu. I pokazała nam plakat, który
wydrukowała sobie z netu.

No cóż, wolałbym, żeby mama spytała najpierw, co
JA o tym sądzę. Bo ostatnią rzeczą, na którą miałem
ochotę, było JESZCZE WIĘCEJ KOSZYKÓWKI.
Na szczęście pan Patel podzielał moje uczucia.

Powiedział, że jesteśmy dramatycznie złymi koszykarzami i że nie chce nam przysparzać więcej wstydu. I choć to musiało zaboleć, mama nie zaprotestowała.

Tydzień później zaprosiła jednak całą drużynę do nas do domu. Sądziłem, że to po prostu zwykła impreza pożegnalna. Z pizzą i może oglądaniem jakiegoś filmu. Ale BARDZO się pomyliłem.

Gdy wszyscy dotarli na miejsce, mama powiedziała, że chce wygłosić oświadczenie. Oznajmiła, że zamierza nas zgłosić do Turnieju Drugiej Szansy i że będzie naszą TRENERKĄ.

Po czym dodała, że to będzie zupełnie nowe rozdanie
i dlatego ma też dla nas nowe koszulki.

Wszyscy się podjarali, no bo te koszulki wyglądały
MEGA. Każda miała niebiesko-złote wykończenie
i nazwisko zawodnika na plecach. A że tym razem nikt
nas nie sponsorował, mama musiała za nie zapłacić
z własnej kieszeni.

Z przodu zobaczyłem obrazek przedstawiający psa. Jednego z tych, które ciągną zaprzęgi na Alasce. A wtedy mama powiedziała, że będziemy się nazywać HUSKY. Jak drużyna, w której ONA grała w gimnazjum.

Nie miałem wątpliwości, o co tu chodzi. Mama chciała znów poczuć się młoda i parła do celu po NASZYCH trupach. Ale w sumie nie bardzo mi to przeszkadzało, bo kupiła nam strasznie fajne koszulki.

I w dodatku stwierdziła, że zrobi z nas ZWYCIĘZCÓW. No a wszyscy woleliśmy być zwycięzcami niż księgowymi i lalkarzami.

<u>Czwartek</u>

Turniej zaczyna się za niecały tydzień, więc nie mamy nie wiadomo ile czasu. Ale po pierwszym treningu nawet się z tego cieszę.

Mama ma zupełnie inny styl trenerski niż pan Patel. Zamiast doskonalić nasze umiejętności techniczne, stawia na UCZUCIA. Wykonujemy zatem różne ćwiczenia na zaufanie, współdziałanie i tak dalej.

Cóż, chcę wierzyć, że ona wie, co robi. Bo ja sobie nie wyobrażam, jak TO miałoby nam pomóc wygrywać.

Jedno z ćwiczeń miało sprawić, że lepiej się poznamy. Stanęliśmy w kółeczku i zaczęliśmy rzucać piłką. Każdy, kto ją złapał, musiał powiedzieć coś o sobie. No więc ja powiedziałem, że lubię lody miętowo--czekoladowe.

Ale gdy piłkę dostał Edward Mealy, gość nagle się ODBLOKOWAŁ. Wyznał, że macocha krótko go trzyma i że nie lubi jego żółwia.

Tak się rozgadał, że w końcu mama musiała odebrać mu piłkę.

Potem przeszliśmy do PRAWDZIWEJ koszykówki.
Mama pokazała nam zagrywki, które jej drużyna
zastosowała w finale mistrzostw stanowych, ale my
kompletnie tego nie ogarnialiśmy.

Wcale nie wiem, czy to ŹLE, że jesteśmy tacy
beznadziejni. Kojarzycie te wszystkie filmy
o kompletnych przegrywach, które w końcu biorą się
w garść i zdobywają jakiś ważny puchar? Ciekaw
jestem, czy my TEŻ tak byśmy mogli.

Tylko że goście, którym przytrafia się podobna
historia, nigdy nie dostają kasy za jej EKRANIZACJĘ.
Dlatego od razu zacząłem się zastanawiać, jak JA
mógłbym na tym zwycięstwie zarobić.

Przed wieczornym treningiem przygotowałem nawet pewien dokument, który dałem do podpisu kolegom.

Ja, niżej podpisany _____ ,
przekazuję Gregowi Heffleyowi wszelkie prawa do wykorzystania mojego wizerunku w filmie fabularnym, w serialu telewizyjnym oraz w ich ewentualnych kontynuacjach. Prawa te nie są ograniczone w czasie ani w przestrzeni.

_____

PODPIS

Jedynym, który zgłosił obiekcje, był Yusef. Powiedział, że zanim podpisze, musi zapytać o zgodę rodziców. Gdy jednak obiecałem, że przez trzy dni będę oddawał mu drugie śniadanie, dłużej się nie zastanawiał.

Teraz wystarczy, że wygramy turniej, a ja sprzedam naszą historię jakiejś wytwórni produkującej wyciskacze łez. Nawet mam już pomysł na plakat.

<u>Niedziela</u>

Turniej Drugiej Szansy odbywał się w innej części stanu. A rodzice moich kumpli z drużyny mieli chyba jakąś traumę po zakończonym sezonie, bo nikt się nie palił, żeby zawieźć nas na miejsce.

Dlatego wczoraj mama wypożyczyła wielkiego vana. Powiedziała, że być może zostaniemy aż do końca turnieju, i kazała nam zabrać rzeczy na zmianę.

No i niektóre dzieciaki PRZEGIĘŁY z bagażami. Yusef wziął na drogę dwa CHLEBY i mnóstwo dodatków do kanapek, a do tego plecak wypchany rodzynkami w czekoladzie.

Jabari zapakował konsolę i monitor, żebyśmy mogli sobie pograć w SAMOCHODZIE. Ale to chyba było za wiele dla układu elektrycznego vana, bo doszło do przeciążenia i wylądowaliśmy u mechanika.

Kolejny postój okazał się konieczny, kiedy Yusef, po zjedzeniu połowy rodzynek w czekoladzie, musiał pilnie skorzystać z toalety. Tym sposobem mimo dwóch godzin zapasu ledwo zdążyliśmy na otwarcie turnieju.

Myślałem, że taka ważna impreza będzie się odbywać na kampusie uniwersytetu albo w jakimś centrum konferencyjnym.

Dlatego przeżyłem duże rozczarowanie, gdy
zobaczyłem przeznaczone do rozbiórki WIĘZIENIE.

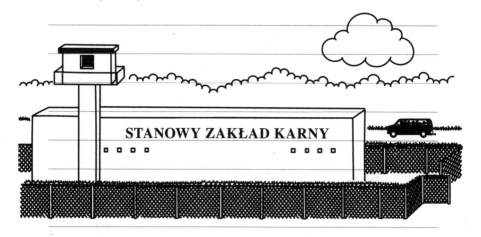

Choć w sumie czego może się spodziewać jedna
z najgorszych drużyn w całym stanie.

Mama poszła nas zarejestrować, ale wróciła ze złą wiadomością. W konkursie startowały już jakieś INNE Husky, więc trzeba było szybko wymyślić nową nazwę. No a że mama nadal się stresowała naszym spóźnieniem, wpisała do formularza pierwszą rzecz, jaka przyszła jej do głowy.

Potem jednak sprawdziłem nazwy POZOSTAŁYCH drużyn i ta nasza wcale nie była taka znowu najgorsza.

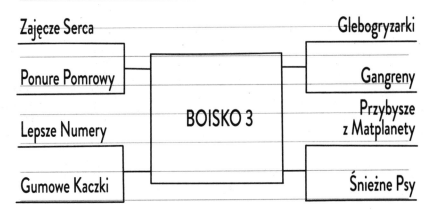

Mecze rozgrywano w hali, która kiedyś była
chyba więzienną stołówką. Zobaczyłem tablicę
z regulaminem, ale nadal nie wiem, czy te zasady
dotyczyły nas, czy raczej WIĘŹNIÓW.

Boiska znajdowały się jedno obok drugiego, co
oznaczało, że nie przewidziano trybun dla kibiców.
Nikt się na to jednak nie uskarżał, bo innych
zawodników rodzice TEŻ wystawili do wiatru.

Nasi przeciwnicy byli w trakcie rozgrzewki. A mnie
trochę ulżyło, kiedy odkryłem, że w pierwszym meczu
gramy z Przybyszami z Matplanety.

Wkrótce jednak zrozumiałem, że ich nie doceniłem. Ci goście nie mieli może pary w rękach, ale mieli ją w MÓZGACH.

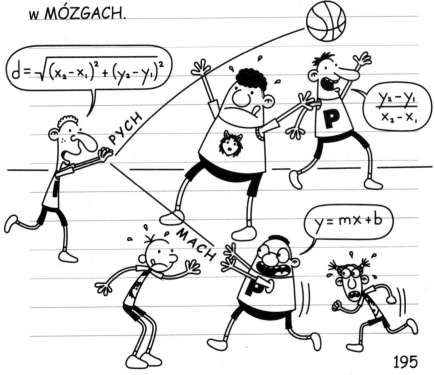

Przybysze z Matplanety mieli fatalną obronę, więc zdobyliśmy trochę punktów. Ale ich ATAK totalnie nas rozjechał i ostatecznie wygrali trzydzieści siedem do trzydziestu.

Strasznie się podłamaliśmy, bo to była nasza wielka szansa na zwycięstwo, a my ją zaprzepaściliśmy. No i poczuliśmy się jak ostatni frajerzy z tą całą zmianą ubrań.

Wtedy mama powiedziała coś, co nas zszokowało. Oświadczyła, że w Turnieju Drugiej Szansy pozostaje się tak długo, aż się WYGRA.

Co oznaczało, że Przybysze z Matplanety jadą do domu, a my ZOSTAJEMY.

Cóż, to CAŁKOWICIE zmieniało postać rzeczy. Okazało się, że będziemy TKWIĆ w tym miejscu tak długo, aż odniesiemy zwycięstwo. No i teraz stało się jasne, dlaczego urządzili ten turniej w WIĘZIENIU.

Mama sprawdziła wyniki innych drużyn, żeby zobaczyć, z kim będziemy walczyć w następnej rundzie. Ci goście nazwali się Lepsze Numery, co brzmiało już trochę groźniej.

I nagle dokonaliśmy pewnego odkrycia. Lepsze Numery były zbieraniną dzieciaków, które zostały wywalone z innych drużyn za ROBIENIE ZADYM. A więc ICH drugą szansę należało potraktować DOSŁOWNIE.

Zresztą wystarczył jeden rzut oka na tych oprychów,
by wiedzieć, że mamy kłopoty.

Cieszyłem się że mama nie wstawiła mnie do
pierwszego składu, bo ten mecz od początku do końca
był jakąś SZARPANINĄ. Zaraz po rzucie sędziowskim
jeden z Lepszych Numerów powalił Kevina na ziemię,
a wtedy Ruby wskoczyła agresorowi na PLECY
i rozpętało się PIEKŁO.

Sędziowie chyba bali się wejść w tę kotłowaninę,
więc po prostu poczekali, aż skończymy. Mógłbym się
założyć, że ani razu nie użyli GWIZDKA.

Nie miało to dużo wspólnego z koszykówką, dlatego
nie nabiliśmy też wielu punktów. Aż wreszcie szala
zwycięstwa przechyliła się na stronę Lepszych
Numerów, które wygrały sześć do pięciu.

Dwie porażki z rzędu totalnie nas dobiły, ale to
jeszcze nie był koniec. W trzeciej rundzie mieliśmy
się zmierzyć z Królami Dramy, którzy, swoją drogą,
też wyglądali na wykończonych.

Nie wiedziałem, co o nich sądzić, dopóki nie zaczęliśmy gry. I wiecie co? Królowie Dramy chyba należeli do kółka teatralnego w swojej szkole, bo byli świetnymi AKTORAMI.

Gdy któryś z nas choćby się ZBLIŻYŁ, tamci od razu upadali. W ten sposób, choć nawet ich NIE DOTKNĘLIŚMY, już w pierwszej kwarcie zarobiliśmy piętnaście kar za faule.

Królowie Dramy zdobyli prawie wszystkie swoje punkty dzięki rzutom wolnym i tak oto przegraliśmy następny mecz, tym razem trzydzieści trzy do siedemnastu. W sumie dobrze, że to było ostatnie spotkanie w tej rundzie, bo chyba by nam się ulało.

Czwarta runda miała rozpocząć się rano, więc pojechaliśmy do hotelu oddalonego o kilka kilometrów. Marzyłem o tym, żeby porządnie się wyspać. Ale mama chyba nie zakładała, że będziemy grać w turnieju tak długo, bo za późno zarezerwowała nam pokoje. Wtedy gdy zostały już tylko DWA.

W jednym miały spać ona i Ruby, a w drugim cała nasza BANDA. Nie wiem, jaką współlokatorką była Ruby, ale dzielenie pokoju z chłopakami z mojej drużyny okazało się HORROREM.

Ci goście robili takie cyrki, jakby nigdy wcześniej nie
spali w hotelu. I parę razy aż świerzbiała mnie ręka,
żeby wezwać ochronę.

Nie zrobiłem tego jednak, a SZKODA. Bo jeden
z tych głąbów zaczął walić do pozostałych kostkami
lodu z zamrażarki i w końcu uruchomił system
przeciwpożarowy.

No a kiedy włączył się zraszacz, to zaczął też wyć
ALARM.

Dwie następne godziny spędziliśmy przed hotelem. Dygotaliśmy z zimna razem z RESZTĄ gości hotelowych, podczas gdy strażacy wyłączali alarm.

Rano mama nieźle zmyła nam głowy, ale myślami była już przy turnieju.

Podczas śniadania powiedziała, że weszliśmy do półfinału i że musimy postawić na pracę zespołową, jeśli chcemy wygrać.

A potem zwierzyła się nam, jakie to było uczucie przegrać ostatni mecz w zawodach. Wyznała, że czasem się zastanawia, czy mogła odwrócić losy spotkania. Dodała, że nie chce, abyśmy my TAKŻE mieli wyrzuty sumienia, i dlatego dziś musimy zostawić serce na boisku.

To była niezła mowa i w ogóle, ale nie dało się nie zauważyć różnicy między drużyną mamy a naszą. Tamte dziewczyny chciały udowodnić, że są NAJLEPSZE, a my, że nie jesteśmy NAJGORSI. Żadna dodatkowa motywacja nie była nam potrzebna.

Wczoraj rano, kiedy przyjechaliśmy na turniej, nikt nie wiedział, kim jesteśmy. Ale dziś, po tym jak w nocy włączyliśmy alarm przeciwpożarowy, byliśmy na ustach WSZYSTKICH.

Drużyna, z którą mieliśmy się zmierzyć, wyraźnie
dyszała żądzą MORDU. Grały tam same dziewczyny
i na pewno nie były zachwycone, że przez nas zarwały
nockę. No więc kiedy mecz się rozpoczął, te panny
DAŁY NAM WYCISK.

W trzeciej kwarcie mama zdjęła z boiska Ruby
i pozwoliła jej trochę odpocząć. Ale wolałbym, żeby
nie wstawiała na miejsce Ruby MNIE, bo poczułem się
jak ochłap mięsa rzucony wygłodniałym WILCZYCOM.

Nie pamiętam, jaki był wynik meczu. Wiem tylko,
że przegraliśmy i że Gangreny pojechały do domu.

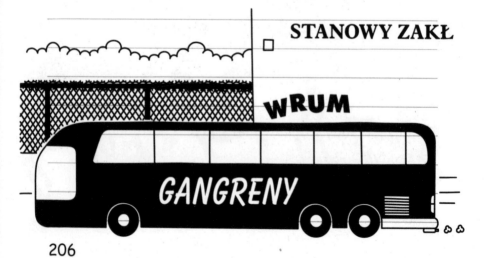

Nie rozumiem, jakim cudem tak długo męczyły się
w konkursie, bo te dziewczyny były TWARDZIELKAMI.
Za to gdy zobaczyłem OSTATNIE drużyny w turnieju,
nie miałem wątpliwości, co ONE tu jeszcze robią.

Tymi drużynami okazały się Husky i Wsady Zagłady.
Obie moim zdaniem grały równie ŻAŁOŚNIE, więc nic
jeszcze nie było przesądzone.

Tylko że Wsady Zagłady miały pięciu zawodników
i ŻADNYCH rezerwowych. Dlatego chociaż robiły,
co mogły, musiały ustąpić pola przeciwnikowi. A to
oznaczało, że właśnie z nimi spotkamy się w FINALE.

No i wtedy dotarło do mnie z dużym opóźnieniem,
że NIE KAŻDY w tym turnieju wygrywa. Ci, którzy
zawalą ostatni mecz, będą mieć stuprocentową
pewność, że są najgorszą drużyną w całym stanie.

Wszystkim nam bardzo zależało, żeby wygrać, no
a najbardziej MAMIE, która na chwilę przed meczem
zaczęła dokonywać zmian w składzie.

Hala była już niemal PUSTA, lecz wtedy w drzwiach
pojawiły się dwie znajome postacie.

BOISKO 1

KLAP

Preet miał na prawej nodze jakiś dziwny bucior, więc najwyraźniej nie chodził już o kulach.

Mama spytała pana Patela, co tutaj robią, on zaś odparł, że przyjechali nam pokibicować.

Ona na to odrzekła, że nie potrzebujemy czirliderów, natomiast przydaliby nam się dodatkowi GRACZE. I zapytała Preeta, czy chciałby wystąpić w tym swoim dziwnym bucie. No a chłopakowi bardzo musiało brakować koszykówki, bo odpowiedział, że TAK.

Na szczęście mama miała jeszcze jedną koszulkę w swojej torbie i od razu wręczyła ją Preetowi. Włączyła go też do pierwszego składu i wprowadziła OSTATNIĄ zmianę w taktyce.

Kazała nam zapomnieć o wszystkich wyuczonych
zagrywkach. Zamiast nich obowiązywała tylko
jedna: PODAJ DO PREETA. No a my strasznie się
ucieszyliśmy, bo wreszcie OGARNIALIŚMY strategię.

Gdy rozległ się gwizd rozpoczynający mecz,
wygraliśmy rzut sędziowski. A potem Yusef podał do
Preeta, który ze swoją JEDNĄ nogą był lepszy niż cała
drużyna z OBIEMA.

Jedyny problem polegał na tym, że Preet nie mógł
BIEGAĆ. Dlatego po jego trafieniach Wsady Zagłady
zawsze przejmowały kontrolę nad piłką.

No i pod koniec pierwszej połowy nastąpiło coś
NIEFAJNEGO. Dzieciaki z drużyny przeciwnej oblazły
Preeta, próbując przeszkodzić mu w oddaniu rzutu,
a on niechcący nadepnął rozgrywającemu na nogę.

Rozgrywający zszedł z boiska z pomocą trenera
i innego zawodnika, a my musieliśmy mu klaskać,
bo z jakiegoś tajemniczego powodu tak się robi
w podobnych sytuacjach.

No i teraz Wsadom Zagłady zostali czterej zawodnicy.
Sędzia główna oświadczyła, że nie mają pełnego
składu, więc muszą oddać mecz WALKOWEREM.
A ich trener nawet nie zaprotestował.

Zaprotestowała natomiast MAMA. Powiedziała, że
jeśli mamy wygrać, to tylko na uczciwych warunkach.
I zaproponowała, że odda rywalowi jednego ze
SWOICH zawodników, aby mecz mógł zostać
dokończony.

Tamten trener chyba uznał, że nie ma nic do stracenia,
ponieważ przyjął jej propozycję. I powiedział, że
bierze PREETA. Wtedy jednak sędzia wtrąciła, że to
MAMA zdecyduje, którego gracza odda, no a ona
po krótkim namyśle wskazała MNIE.

Byłem w ciężkim szoku, bo nigdy bym się spodziewał, że zostanę zdradzony przez własną MATKĘ. Gdy jednak ruszyłem w stronę ławki przeciwnika, ona szepnęła mi coś na ucho.

No i teraz to już zupełnie ZGŁUPIAŁEM. Chciałem, żeby nasi wygrali, ale nie sądziłem, że mam OSZUKIWAĆ. Dla drużyny byłem jednak skłonny do najwyższych poświęceń. Nawet do włożenia CUDZEJ przepoconej koszulki.

Po rozpoczęciu drugiej połowy wyszedłem na boisko
i zachowywałem się, jakbym naprawdę chciał pomóc.
Ale moja nowa drużyna totalnie mi chyba nie ufała,
bo nikt do mnie nie podawał.

RZUT

Po paru minutach ja zresztą też odpuściłem. Po prostu
usunąłem się wszystkim z drogi i stanąłem Z BOKU.
No i to było świetne miejsce do obserwowania gry,
która w końcu zrobiła się ZAJMUJĄCA.

Za każdym razem gdy Preet popisywał się jakimś
superrzutem, Wsady Zagłady zdobywały punkt
na drugim końcu boiska. I tak mnie to wciągnęło,
że o czymś zapomniałem. O tym, że ja też jestem
W GRZE.

Więc kiedy Preet zawalił rzut za trzy punkty i piłka odbiła się od obręczy, doznałem WSTRZĄSU, bo ona ni z tego, ni z owego WPADŁA MI W RĘCE.

Nie wiedziałem, czy ją komuś podać, czy kozłować, czy co. Chociaż w sumie i tak miałem ograniczone pole manewru, ponieważ moja POPRZEDNIA drużyna już na mnie WISIAŁA.

Czas się kończył, a Śnieżne Psy miały dwa punkty przewagi. Myślałem, że mama podpowie mi, co robić, ale ona zagrzewała do walki SWOICH.

I wtedy sobie uświadomiłem, DLACZEGO mama posłała mnie w szeregi nieprzyjaciela. Wcale nie byłem żadną tajną bronią. Ona po prostu wiedziała, że NAWALĘ. I chciała, żebym to zrobił, grając po przeciwnej stronie.

Mnie jednak było już wtedy WSZYSTKO JEDNO. Myślałem tylko o tym, żeby uwolnić się jakoś od tej piłki i żeby dali mi święty spokój.

Dlatego z całej siły wyrzuciłem ją w powietrze.

Na moment wszyscy ZASTYGLI i chyba nawet czas się zatrzymał. Obie drużyny powiodły wzrokiem za lecącą piłką.

A potem, w takiej CISZY, że aż dzwoniło w uszach,
piłka wpadła do kosza na drugim końcu boiska.

To był rzut za trzy, który dał Wsadom Zagłady
jednopunktową PRZEWAGĘ. Wkrótce rozległ się
dźwięk syreny, a wtedy moi nowi kumple z radości się
na mnie RZUCILI.

W końcu się dowiedziałem, jak to jest zostać
BOHATEREM, no i zrozumiałem, czemu ludzie tak się
ekscytują SPORTEM.

HOP HOP

I wiecie co? Byłby z tego świetny FILM. Dlatego
już zacząłem zbierać od chłopaków PODPISY.

Mama miała absolutną rację, sport zbliża ludzi.
Po meczu poszliśmy całą drużyną na lody, żeby uczcić
nasze zwycięstwo. I było tak fajnie, że wzięliśmy
DOKŁADKĘ.

Zastanawialiśmy się nawet, czyby nie wystąpić w tym
samym składzie w przyszłym roku. Pewnie byłaby
niezła zabawa, ale myślę, że z boiska trzeba zejść
NIEPOKONANYM.